À Propos

Manuel de lecture globale et d'analyse textuelle

J. D. KAMINSKAS
Queen's University à Kingston

Holt, Rinehart and Winston of Canada, Limited

CANADIAN CATALOGUING IN PUBLICATION DATA

Kaminiskas, Jurate D.
À propos

ISBN 0-03-921891-0

1. French language – Text-books for second language learners – English speakers. I. Title.

PC2117.K35 1986 448.2'421 C85-098587-0

Publisher: Anthony Luengo
Managing Editor: Mary Lynn Mulroney
Cover Design: John Zehethofer
Typesetting and Assembly: Parker Typesetting

Printed and bound in Canada by John Deyell Company

1 2 3 4 5 90 89 88 87 86

Remerciements

Je désire exprimer ma gratitude envers Madame Colette TONGE qui a accordé sa généreuse attention au manuscrit.

À Pierre GOBIN, Greg LESSARD, Michel BERTA, et à mon époux, mes vifs remerciements.

J.D.K.

Table des matières

Niveaux

* texte de moyenne difficulté
** texte avancé

Préface

L'étudiant au niveau intermédiaire ou avancé se trouve souvent dans une situation contradictoire. On le met en face de textes qu'on a trop simplifiés, pour les adapter à ses besoins, ou bien d'extraits qui ne correspondent nullement à ses centres d'intérêt. Les conséquences en sont malheureuses. Il perd toute motivation, ayant l'impression de ne plus faire de progrès en français. *À Propos* part du principe que l'étudiant apprendra plus et aimera davantage ses cours de français si on lui propose des *textes authentiques,* bien que ceux-ci puissent paraître, au premier abord, longs et difficiles.

La méthode et les exercices présentés ici s'inspirent en grande partie des travaux de Sophie Moirand sur la lecture globale, repris dans son livre *Situations d'écrit.* Nous partons de l'hypothèse que l'étudiant comprendra plus vite le texte si on rend l'exercice de lecture intelligible, si on lui montre d'abord comment il fonctionne. En d'autres termes, il faut lui faire des suggestions concrètes pour la lecture de ces textes, lui montrer le comportement à suivre lorsque le texte est long, lui proposer des *stratégies de lecture* et d'*analyse textuelle.*

Comment choisir les informations pertinentes? Comme stratégies de lecture, nous avons trouvé indispensable d'attirer l'attention de l'étudiant sur le rôle des *mots clés* et des substituts dans la constitution et la progression du texte, ainsi que sur la *fonction du titre* et *l'image ou l'architecture* du document écrit. La présentation vise également à sensibiliser l'étudiant à la formulation des différents *actes de parole* pour qu'il puisse mieux comprendre ce qu'il lit et mieux convaincre quand il écrit. Ce volume s'adresse aux étudiants du niveau intermédiaire ou même avancé qui veulent apprendre à lire et à comprendre rapidement un texte difficile en français, acquérir un vocabulaire courant, écrire pour exprimer une idée et un point de vue. Il sera particulièrement utile dans les cours de français fonctionnel où on lit surtout pour s'*informer*.

Tous les textes ont été choisis de manière à intéresser les étudiants : ceux-ci aiment, en général, se tenir au courant de l'actualité. Les chapitres présentés couvrent des domaines variés, comme le monde des affaires, la médecine, le vidéo, le féminisme, la sécurité routière. Nombre de ces articles ont un contexte canadien – par exemple les textes de Margaret Atwood et d'Yvon Deschamps...

Souvent, dans les cours, on a tendance à oublier *la fonction ludique* du langage. Nous avons donc inclus à la fin de chaque chapitre une «histoire à compléter». L'étudiant, tout en faisant un exercice de rédaction, aura l'occasion de faire un travail créatif en complétant une nouvelle à sa façon.

Organisation

Au début de chacun des chapitres il y a une brève *présentation* résumant l'essentiel des thèmes qui seront abordés dans les articles qui suivent. Dans l'index (français/anglais) à la fin du volume nous avons regroupé les mots difficiles de chaque article, et dans *le glossaire*, la terminologie linguistique qui pourrait poser des problèmes à l'étudiant.

À la fin de chaque texte l'étudiant trouvera des exercices *de compréhension, des exercices d'analyse sociolinguistique, des exercices de langue* et *des exercices de rédaction*. Le rythme de la classe doit être rapide et vivant, sans que le professeur perde trop de temps à attendre que l'étudiant désigné trouve la bonne réponse. En ce qui concerne *les exercices de compréhension,* tout le travail devrait se faire en situation de classe. Le temps consacré à cette activité sera normalement d'une ou deux heures, selon la longueur du document.

A. Exercices de compréhension

Chaque texte est suivi d'exercices de compréhension qui entraînent l'étudiant à un repérage et une reprise des mots-clés sur lesquels se bâtit le corps du paragraphe. Nous avons adopté une méthodologie qui repose sur l'unité du paragraphe, afin d'initier les apprenants à *une analyse textuelle* (comment la même idée est reprise plusieurs fois à l'intérieur du même paragraphe, qu'est-ce qui assure la transition d'un paragraphe à l'autre).

B. Analyse sociolinguistique

Ce premier contact avec le texte est suivi d'une analyse sociolinguistique où l'on demande au lecteur de s'interroger sur les conditions de production du texte, sur les intentions de l'auteur (cf. Jakobson – les fonctions du langage).

C. Exercices de langue

Des exercices de langue sous forme de dialogue ou de blancs à remplir permettent à l'étudiant de ré-employer, en les révisant, le vocabulaire et les expressions idiomatiques en contexte.

D. Histoires à compléter

Les «histoires à compléter» sont accompagnées d'exercices de compréhension supplémentaires enregistrés sur cassette : l'étudiant entend maintenant la vraie suite de l'histoire (l'histoire même qu'on lui a précédemment demandé de compléter) et doit répondre aux questions posées. L'écoute peut très facilement se faire en salle de classe ou bien au laboratoire. *Le texte lu* est parfois morcelé en plusieurs séquences courtes que l'étudiant peut écouter plusieurs fois au besoin. Chaque séquence est suivie de questions de compréhension auxquelles l'étudiant doit répondre sur cassette. Pour certaines histoires nous avons jugé utile d'inclure une dictée et/ou un exercice de *résumé sur cassette*. Pour faciliter la compréhension et rendre l'écoute plus agréable, nous avons préparé des *fiches d'accompagnement* qui présentent les expressions idiomatiques et le vocabulaire nouveau.

1

La société de consommation

Chaque période de l'histoire se caractérise par des préoccupations culturelles qui lui sont propres. La nôtre ne fait pas exception à la règle : le «culte du moi» ne manque pas de disciples. Comme les Grecs qui cherchaient le sens du monde dans l'ordre cosmique, comme les peuples du Moyen-Âge qui eux-mêmes représentaient une synthèse du sacré et du profane, notre civilisation prêche la gratification des sens, le délire de toutes les sensations. Nous sommes une société de consommation : notre contact quotidien avec les articles de revues, la publicité dans la presse, les «commerciaux» à la télévision, et même les vitrines alléchantes en sont la preuve. Les invitations à la consommation nous entourent. Qui d'entre nous n'a vu à la télévision ce groupe joyeux d'hommes d'affaires jeunes et beaux, savourant une bouteille de bière bien gagnée? Qui n'a jamais mangé un hamburger «griffé» McDonald ou Burger King? Y a-t-il encore quelqu'un qui n'ait jamais entendu parler de chez Wendy? Qui n'a jamais nourri le rêve de se voir au volant d'une voiture de sport italienne, ou de s'acheter un ordinateur personnel? Nous sommes tous des consommateurs et nous sommes sensibles, à des degrés divers, aux avances de la société de consommation. Dans ce premier chapitre nous présentons un choix d'articles : chacun d'entre eux examine un aspect de la vie contemporaine. On y trouvera des thèmes variés tels que la «broue», la restauration-minute, les ceintures de sécurité, la valeur que nous accordons à la vie et à nous-mêmes. En somme, nous nous efforçons de trouver des clés pour mieux comprendre le monde et nous comprendre nous-mêmes.

«Broue»

Nous buvons au Québec un peu plus de deux milliards de bières par année. Près de six millions de bouteilles et de canettes de 341 millilitres par jour. Nous figurons honorablement dans le peloton de tête des peuples gros buveurs de bière, pas très loin des Allemands, des Suédois, des Belges et des Terre-Neuviens. 1

Et pourtant, nos brasseurs ne sont pas heureux du tout. Dans les commerciaux télévisés ou dans les placards publicitaires géants du métro ou sur les grands panneaux-réclame plantés en bordure des auto-routes suburbaines, «les gars» sont souriants, en forme, jeunes et beaux. Mais les quelques fonctionnaires des grandes brasseries que j'ai réussi de peine et de misère à rencontrer (ils sont presque toujours en meetings extrêmement importants) sont tendus, méfiants, inquiets. 2

Ils racontent à peu près tous la même histoire : «Le marché de la bière est stagnant. Les Québécois boivent de plus en plus de vin et de moins en moins de bière. Mais nous de dirons pas de mal de notre bon et serviable gouvernement, ni même de sa Société des alcools qui, sans faire exprès, nous a tant fait mal. Nous sommes de bons citoyens corporatifs. Nous faisons vivre 15 000 Québécois. Et nous ne vendons pas de bière aux alcooliques; nos enquêtes prouvent que notre publicité ne les rejoint pas.» 3

En fait, le nombre des buveurs de bière augmente. Depuis que les «légères» ont fait leur apparition, il y a deux ou trois ans, bon nombre de femmes ont découvert les vertus du houblon. Mais le gros buveur qui clamait, il y a cinq ans encore, qu'il était «le dernier des vrais» et faisait consciencieusement la bonne fortune des brasseries, est en voie de disparition. 4

L'homme des tavernes, capable de boire 100 verres de six onces dans sa journée ou d'avaler deux grosses et de rouler et d'allumer une cigarette en une minute, cet être chaud et haut en couleurs, tantôt écrasé de mélancolie, tantôt cédant à l'euphorie, ce personnage à la fois attachant et inquiétant est entré dans le folklore. On ne le retrouve plus guère que dans les monologues des frères MacKenzie et dans les sketches de *Broue*, dont on a donné au Québec et au Canada près de 1000 représentations. 5

Aujourd'hui, plus de gens boivent, mais beaucoup moins que cet homme des tavernes. 6

«Les brasseries ont toujours eu peur des petits buveurs et en particulier des femmes», dit Jacques Bouchard de l'agence BCP, qui a créé au tournant des années 70 les mémorables commerciaux de Labatt, «Lui y connaît ça» et «On est six millions, faut se parler». 7

Traditionnellement, la bière est une boisson d'hommes. La proposer aux femmes ou aux petits buveurs, c'est lui enlever ses qualités viriles, l'émasculer, la dénaturer. «C'est sans doute ce qui a poussé Labatt a mettre sa Légère dans la grosse patte de Mad Dog Vachon, dit

Bouchard. Si Mad Dog boit de la Labatt Légère, c'est que c'est une bière d'homme. Les gars peuvent en boire sans avoir honte.» 8

On ne connaît pas encore les résultats de cette dernière campagne macho de Labatt. Mais une chose est certaine, le gros buveur n'est plus seul dans le décor. Ni le col bleu. Les «manuels» que montre la publicité des brasseries sont aujourd'hui moins de 18 p. cent de la population. Il y a aussi des artistes, des femmes, de minces jeunes hommes qui sont peut-être avocats, ronds-de-cuir ou comptables; et il y a des adeptes du camping sauvage, du racketball, du décapage, du retour à la terre, etc. Presque tout ce qu'il faut pour faire un monde semblable au nôtre. 9

Le gros buveur, aujourd'hui minoritaire, était fidèle à sa marque (on ne change pas de bière en cours de brosse, c'est bien connu). Mais le petit buveur des années 80 aime le changement et la nouveauté. Il expérimente. «La cible est mouvante, dit Pierre Dupuis, des publicités Caledon. Et elle s'est fragmentée. En quelques années, toutes les règles de la mise en marché ont été changées. Parce que les buveurs ont changé d'attitudes et d'habitudes.» 10

Il y a 20 ans, 20 p. cent des buveurs buvaient 80 p. cent de la bière. Ils formaient une grosse masse homogène, peu mobile, facile à atteindre, même avec des techniques de marketing rudimentaires. On tirait dans le tas et la moitié de la population levait son verre. C'était des hommes, presque exclusivement. D'où l'alliance bière-sport. Entre 18 et 39 ans. Ils travaillaient dur et longtemps pour un salaire insignifiant et ne parlaient qu'entre eux (de leur char, de leur boss et des femmes) quand la bière faisait son effet. C'était l'âge des tavernes. Tous les Québécois buvaient des bières de type *ale*, une boisson amère et corsée, de tradition britannique. Les «Canadians» buvaient des bières de type *lager*, une boisson plus légère, plus douce, de tradition allemande. 11

Au Québec, la bière se nommait Dow. «Dites donc Dow!» carillonnait la publicité. 12

«Mais on sait aujourd'hui qu'une bière ne peut pas occuper longtemps une trop grande part du marché. Quand une bière devient trop populaire, comme c'était le cas de la Dow à l'époque, elle est plus vulnérable, moins attrayante. Dès qu'elle a atteint son zénith, elle commence à décliner.» 13

C'est ce qui arrive présentement aux trois grandes marques traditionnelles, O'Keefe, Molson Export et Labatt 50. Elles comptent encore pour près de 60 pour cent de la bière bue au Québec. Mais elles perdent chaque jour des joueurs. Contrairement à son père ouvrier qui cherchait à s'identifier à des valeurs – et à des bières – établies, le consommateur d'aujourd'hui veut se distinguer. Il boit de préférence des nouvelles marques. Il en changera, dès que ses voisins auront adopté sa bière. 14

«Tout s'est mis à bouger dans le milieu quand les enfants du *baby boom* et du docteur Spock ont commencé à fréquenter les bars, dit Pierre Dupuis. Il a fallu changer de ton et de langage. Parce que ces jeunes-là, justement, venaient de changer de monde. » 15

Ils sortaient pour la plupart d'un milieu ouvrier, où la famille et les valeurs traditionnelles étaient encore solides. Mais la télévision, le rock and roll et l'école leur avaient proposé une nouvelle vision des choses, de nouveaux modes de vie, de nouveaux langages. Leurs pères étaient cols bleus. Beaucoup seront cols blancs. 16

« Il est faux de dire que la bière ne s'adresse jamais au col blanc dans ses commerciaux. Elle s'offre à lui quand c'est le temps, quand il en a envie, c'est-à-dire quand il n'a pas sa cravate, ni ses souliers vernis, ni son col blanc... » 17

À Toronto, où il y a des cols blancs depuis plus longtemps, la publicité montre beaucoup moins de déménageurs de piano, de chasseurs et de gros bras. Les gars trinquent très civilement dans de beaux pubs cossus avec de belles femmes d'affaires. Ou ils astiquent ensemble une voiture de collection. Ou ils devisent au soleil couchant sur le pont de leur voilier. Autre pays, autres moeurs, autres messages commerciaux. 18

Mais les publicitaires québécois, selon Jacques Bouchard, sont conscients qu'il faut changer de ton avec leur nouvelle clientèle. Ils font sur elle de brillantes observations. Mais ils ne savent pas quoi lui dire. 19

« C'est une masse insaisissable, dit-il. Elle est divisée en une infinité de sous-groupes dans lesquels se développent souvent des goûts et des modes contradictoires. Et en plus, parce qu'ils sont instruits et informés, les jeunes sont méfiants et terriblement critiques à l'égard de la publicité. Et, ce qui n'arrange rien, toute la commercialisation de la bière québécoise est faite depuis 10 ans par les mêmes dix ou douze personnes. Pas étonnant que tous les messages se ressemblent à s'y méprendre. » 20

Yves Lapierre, qui a écrit de nombreuses musiques de commerciaux de bière, a vu arriver la horde du *baby boom* et la masse des consommateurs se fractionner. 21

« On ne me demande plus de composer une musique qui puisse rejoindre tout le monde, dit-il. On me commande plusieurs arrangements d'une même mélodie. » 22

On fait également plusieurs montages du même scénario. On vise à chaque campagne plusieurs cibles à la fois. Lapierre fait un arrangement de sa toune pour les rockers, un pour le petit peuple disco, un pour les nostalgiques, un dans lequel il fait vibrer tout doucement la bonne vieille corde nationaliste naguère si efficace, un pour plaire aux femmes, etc. Les cibles sont de plus en plus nombreuses, floues, mobiles. 23

« Les gars des brasseries ne savent plus ce qu'ils veulent, dit Lapierre. Ils regardent ce qui se passe chez les consommateurs et chaque fois qu'ils croient discerner un sous-groupe assez important pour justifier une campagne, ils mettent leur machine en marche. Mais ils sont tellement lents et indécis, ils mettent tellement de temps à s'ajuster, qu'une fois sur deux l'oiseau s'est envolé avant qu'ils aient le temps ou le courage de tirer. Et il faut tout recommencer. Faire d'autres arrangements pour tenter d'accrocher un autre sous-groupe qu'on pense avoir clairement identifié.» *24*

Depuis cinq ans, nos brasseries ont tiré quatre fois dans le vide. En 1979-80, O'Keefe a lancé trois bières qui n'ont pas réussi à s'imposer : Heidelberg, Kronenbrau 1308 et Rallye. Labatt s'était essayé, aussi malheureusement, deux ans plus tôt, avec la Cervois. «C'est normal qu'il y ait des morts dans une guerre, dit Hubert Pitre. Et au train où vont les choses, il y en aura de plus en plus.» Il y aura de plus en plus de marques de plus en plus éphémères. *25*

«Pour satisfaire nos nombreuses clientèles, il faut innover», disent en choeur les brasseurs. Le problème, c'est que chaque fois que l'un d'entre eux innove, les deux autres s'empressent de le singer. Labatt, qui est le plus audacieux des trois, a sorti la première «légère», la première bière de type américain (Budweiser), la première canette d'aluminium, la première bière vendue plus cher (Classique), la première bouteille à long col et le premier message publicitaire prêchant la modération. *26*

O'Keefe a suivi avec sa Légère et sa Miller qui en quelques semaines ont déclassé les nouvelles marques de Labatt, bon premier au Canada (grâce à sa Bleue que boudent les Québécois) et bon dernier au Québec. Quant à Molson, qui aura bientôt 200 ans, elle a bien réussi à s'implanter aux États-Unis sur le marché des bières d'importation, mais au Québec, sa Légère et sa Brador tirent de la patte. Et sa Laurentide, lancée il y a déjà 20 ans comme la bière par excellence des «parties», est sérieusement menacée par la Bud et la Miller. *27*

«Ces deux marques proposent au jeune consommateur une nouvelle image de lui-même, dit René Virthe du groupe Cogem. C'est cette image de marque qui crée une différence réelle et donne une personnalité distincte au produit. Au goût, toutes les bières se ressemblent. Même si le nombre de marques augmente, il y a de moins en moins de différence de l'une à l'autre. Les brasseurs savent que ce n'est pas le goût qui compte. Ce qui attire le consommateur, ce sont les valeurs d'image, les caractères non fonctionnels de la bière.» *28*

«On choisit une marque parce qu'on se reconnaît dans l'image sociale qu'elle propose, ajoute Jacques Bouchard. Ou parce qu'on veut ressembler à cette image de marque. En fait, on boit un statut social.» *29*

C'est donc le contenant, beaucoup plus que le contenu, qui a changé. Nouvelles étiquettes, nouvelles capsules, nouvelles bouteilles.

Les longs cols, qui sont apparus l'été dernier, ont créé de nombreux drames dans l'industrie. 30

Depuis 1963, toutes les brasseries canadiennes utilisaient les mêmes bouteilles boulottes et compactes qu'on retournait indifférement chez l'une ou l'autre. Pas de tri à faire. Peu de pertes. Facilité de rangement et de manutention. Les bouteilles longues ont rompu cette belle harmonie. Elles sont difficiles à loger sur les étagères des réfrigérateurs commerciaux construits sur mesure pour la bonne vieille bouteille. Chaque détaillant doit de plus trier les bouteilles vides et retourner les étiquetées Miller à O'Keefe, les Classique à Labatt, etc. 31

Chaque brasserie distribue donc sa bière avec ses camions arborant ses couleurs. Il faut ainsi trois camions pour approvisionner chacun des 23 000 points de vente de bière au Québec. Résultat : les coûts de distribution d'une caisse de bière, qui ne dépassent pas 20 cents en Ontario, sont d'un dollar trente au Québec. 32

«Il y a 15 ans, raconte Pitre, la commission Thinel avait recommandé aux brasseurs de se regrouper. Ils n'ont rien voulu entendre. Il n'y a rien de plus chauvin qu'une brasserie. Je ne serais pas étonné que les gars de chez Molson aient un bateau tatoué sur la bedaine. Et chez Labatt, un gros 50 doré. Et un chevalier avec sa lance et son bouclier chez O'Keefe.» 33

Tout ça pour faire à peu près la même chose, chacun dans son coin, épiant les deux autres, souhaitant qu'ils se cassent la gueule, mais les imitant quand même aveuglément. Si bien que toutes les bières finissent par se ressembler en toutes choses, par ne plus se distinguer que par la forme de leur contenant. Même les commerciaux de la dernière génération de bières ont des airs de proche parenté. 34

«Mais ça, me dit Jacques Bouchard, c'est un peu beaucoup la faute des gouvernements qui, par le CRTC et la Société des alcools, imposent aux publicitaires des règlements tellement complexes et rigides que les belles idées s'y perdent ou en sortent défigurées.» 35

En principe, un commercial de bière ne doit pas inciter les gens à boire. Il peut seulement proposer aux buveurs de nouvelles marques. Les figurants ne doivent pas porter le verre à leurs lèvres, ni tenir une bouteille ou un verre déjà à moitié vide, ni ouvrir une deuxième bière, ni dire que la bière est désaltérante. Encore moins se faire voir seul avec un verre à la main. On est toujours en joyeux groupe. Mais si le groupe s'adonne à quelque activité, il ne peut y avoir de bouteilles ou de verres dans les parages. 36

Marcel Boisvert, un des directeurs du marketing chez Labatt, finira par me laisser entendre, après une grosse heure de conversation, qu'il trouve le gouvernement bien sévère et qu'il se demande souvent pourquoi la bière est si mal vue des autorités. 37

La Société des alcools a pour objectif de doubler la consommation de vin par tête, me dit-il. Et elle a la bénédiction du gouvernement. Pourquoi un tel projet ne serait-il pas justifiable pour la bière? Le vin ne génère pas beaucoup d'emplois. Ce n'est pas une industrie locale forte. Il est trois fois plus alcoolisé que la bière et contient autant de calories. Mais il a bonne réputation. C'est une boisson au-dessus de tout soupçon. On peut en boire en toute occasion. Tandis que pour la bière, il faut trouver un prétexte. » *38*

Ce prétexte, on nous le donne infailliblement dans les 10 premières secondes de tous les commerciaux de bière. Le joyeux groupe est en action. On joue au ballon, on déménage un piano, on aide un ami à peinturer son chalet ou la jument à mettre bas ou la blonde de son *chum* à sortir un brochet du lac. Puis, quand on a bien joué ou bien travaillé, on prend tous une bonne bière froide. *39*

Au Québec, la bière est donc une récompense. Si on boit, c'est qu'on l'a mérité. Il faut s'être déculpabilisé avant d'y tremper ses lèvres. Même la plus «*hip*» des nouvelles bières nous fait ce genre de sermon dans ses commerciaux: «C'est l'heure de la Miller» pour ceux et celles qui ont bien fait leurs devoirs et leurs travaux. *40*

Regardez-les. Ils sont jeunes et élégants, frais et dispos. Ils ne sortent pas, comme leurs papas buveurs de grosse ale, d'une usine sombre et bruyante, mais de bureaux et d'ateliers où ils semblent heureux d'avoir bien travaillé. Ils sont ostensiblement contents de leur sort. Ça, c'est sans doute nouveau. Mais ils doivent quand même encore, comme leurs papas, gagner leur bière à la sueur de leur front. La grosse différence, c'est qu'aujourd'hui, on ne sue pas au travail, mais dans ses temps libres, pour s'amuser ou se mettre en forme. C'est en tout cas comme ça que ça se passe dans le folklore commercial de la bière. Mais est-ce ainsi que les hommes s'enivrent? *41*

Georges-Hébert Germain

Broue

Georges-Hébert Germain

A. Compréhension du texte

Paragraphe 1

1. Où se placent les Québécois parmi les consommateurs de bière?

Paragraphe 2

2. Soulignez la phrase clé de ce paragraphe.
3. Dans quels termes la phrase «nos brasseurs ne sont pas heureux du tout» est-elle reprise plus loin dans le paragraphe?
4. Dans ce paragraphe l'auteur établit un contraste entre deux groupes de personnes. Quels sont ces deux groupes?
5. Est-il facile de rencontrer les fonctionnaires des grandes brasseries? Soulignez l'expression qui répond à la question.

Paragraphe 3

6. Comment ce paragraphe est-il relié au précédent?
7. Soulignez la phrase clé de ce paragraphe.
8. Quel est le ton de ce paragraphe?

Paragraphe 4

9. Relevez le contraire de «en régression». Trouvez une autre expression ayant le même sens.
10. Comment expliquer l'augmentation du nombre des buveurs de bière?

Paragraphe 5

11. Quel est le mot clé de ce paragraphe?
12. Comment dirait-on en français «a colourful individual»?

Paragraphe 7

13. Comment ce paragraphe est-il relié à ce qui précède?
14. Quel est l'équivalent anglais de : «Lui y connaît ça» et «On est six millions, faut se parler»?

Paragraphe 8

15. «La bière est une boisson d'hommes». Relevez d'autres formules du paragraphe qui reprennent cette idée-clé.

Paragraphe 9

16. Quelle est l'expression qui renvoie au contenu du paragraphe précédent? Soulignez-la.
17. Faites la liste des personnes qui constituent la nouvelle clientèle.

Paragraphe 10

18. Quel est le contraste établi dans ce paragraphe?
19. « Le petit buveur des années '80 aime le changement et la nouveauté. » Combien de fois cette idée est-elle reprise dans le paragraphe?

Paragraphe 11

20. Dans ce paragraphe l'auteur met en contraste deux groupes de buveurs. Quels sont-ils?

Paragraphe 12

21. En cherchant dans le paragraphe précédent, relevez les qualités distinctives de la bière DOW.

Paragraphe 13

22. Soulignez la phrase clé de ce paragraphe.

Paragraphe 14

23. Comment le consommateur d'aujourd'hui et celui d'hier sont-ils différents?
24. Comment le consommateur d'aujourd'hui cherche-t-il à se distinguer?

Paragraphe 15

25. Par quel terme désigne-t-on la génération à laquelle appartient le nouveau consommateur de bière?

Paragraphe 16

26. « Parce que ces jeunes-là, justement, venaient de changer de monde. » Soulignez la phrase de ce paragraphe qui reprend cette idée.

Paragraphe 17

27. Expliquez la valeur de la double négation dans la dernière phrase de ce paragraphe.

Paragraphe 18

28. Soulignez les exemples de cols bleus données dans ce paragraphe.
29. Comment les messages publicitaires relatifs à la bière sont-ils différents en Ontario?
30. Dans quelles activités est-ce que la publicité présente les cols blancs qui boivent de la bière?

Paragraphes 19, 20

31. Quels sont les termes employés par les publicitaires québécois pour décrire leur nouvelle clientèle?
32. Y a-t-il une deuxième raison pourquoi les publicitaires ne savent plus quoi dire à leur nouvelle clientèle?

Paragraphes 21, 22, 23

33. Comment le fractionnement de la masse des consommateurs se reflète-t-il dans la musique et dans les scénarios des commerciaux de bière?
34. Quelle phrase reprend l'idée du fractionnement de la masse des consommateurs?
35. Relevez les deux adjectifs qui renvoient à «insaisissable».

Paragraphe 25

36. De quelles bières est-il question dans ce paragraphe?

Paragraphe 26

37. Quel est le mot clé de ce paragraphe?
38. Quelle brasserie s'est montrée la plus innovatrice? Quel procédé stylistique sert à souligner son caractère innovateur?

Paragraphe 27

39. Quelles sont les bières peu en faveur chez les Québécois?

Paragraphes 28, 29

40. Quelles sont les deux marques dont il est question?
41. Quel rôle joue le goût dans le choix d'une bière?

Paragraphe 30

42. Relevez le vocabulaire se rapportant au «contenant».

Paragraphe 31

43. Quel est le sujet de ce paragraphe?
44. Soulignez les adjectifs qui décrivent les bouteilles utilisées avant 1963.
45. Quels étaient les deux avantages de la bonne vieille bouteille?

Paragraphe 32

46. Comment expliquer le fait que les coûts de distribution d'une caisse de bière soient si élevés?

Paragraphe 33

47. Soulignez la phrase clé de ce paragraphe.

Paragraphe 34

48. Relevez tous les éléments qui reprennent la notion de « se ressembler », l'idée clé de ce paragraphe.

Paragraphe 35

49. À qui faut-il attribuer le blâme pour cette uniformité?

Paragraphe 36

50. Relevez toutes les expressions négatives de ce paragraphe et justifiez leur emploi.

Paragraphe 38

51. De quel projet s'agit-il?
52. Qu'est-ce que Marcel Boisvert trouve à critiquer dans ce projet?
53. Comment s'explique « la bénédiction du gouvernement »?

Paragraphe 39

54. Montrez en quoi ce paragraphe constitue la suite logique du précédent.
55. Faites la liste des prétextes données.

Paragraphe 40

56. Relevez tous les termes qui renvoient à « récompense ».

Paragraphe 41

57. Soulignez les adjectifs décrivant les gens dans les commerciaux de bière.
58. Quel semble être le point de contact entre cette jeune clientèle et celle de la génération précédente?
59. Quelle est, selon vous, la fonction de la dernière phrase de ce paragraphe?

B. Analyse sociolinguistique

1. A quelle(s) couche(s) sociale(s) ce texte s'adresse-t-il?
2. Quelle est la fonction du titre? Quelle(s) piste(s) de lecture indique-t-il?
3. Qu'est-ce que l'auteur essaie de faire au moyen de ce titre?
4. Comment la publicité a-t-elle changé l'image de la bière? Pour quelles raisons cette publicité est-elle différente au Québec et en Ontario?
5. Identifiez le canadianisme et donnez son équivalent en français standard.
   a. les commerciaux télévisés
   b. les autoroutes suburbaines
   c. les gars
   d. réussir de peine et de misère à rencontrer

e. les mémorables commerciaux de Labatt
f. lui y connait ça
g. Lapierre fait un arrangement de sa toune pour les rockers
h. aider la blonde de son chum à sortir un brochet du lac

C. Étude de langue

Souvent les paragraphes de ce texte se construisent autour d'un contraste. Relevez les termes, phrases et locutions qui servent à introduire un contraste.

I.

Donnez le contraire de chacun des termes suivants :
a. stagnant
b. de plus en plus
c. un gros buveur
d. amer
e. une grosse masse homogène
f. peu mobile
g. un salaire insignifiant
h. léger
i. vulnérable
j. attrayant
k. les cols bleus
l. tendu

II.

Donnez l'adjectif qui correspond à chacun des noms suivants :
a. l'Allemagne
b. la Suède
c. le Québec
d. la Belgique
e. Terre-Neuve
f. Toronto
g. Montréal

III.

Complétez les expressions suivantes en vous servant de la définition donnée :
a. avec beaucoup de difficulté
b. au bord de
c. ceux qui pratiquent le camping sauvage

d. sans donner de résultats
e. dire tous ensemble
f. classer
g. dans les environs
h. traîner

réussir de ________ et de ________
en ________ des autoroutes
les ________ du camping sauvage
tirer ________
dire ________
ces employés ont été engagés pour faire ________ du courrier
il est dans les ________
tirer ________

IV.

Donnez l'équivalent français :
a. to hurt someone
b. to injure someone
c. on purpose
d. that's a bit much
e. to fall flat on one's face

V.

Remplacez les tirets par les termes ou expressions choisis dans la liste ci-dessous. Faites tous les changements nécessaires :

les bouteilles à long col
les fonctionnaires
la manutention
les bouteilles boulottes
un petit buveur
les ronds de cuir
les avocats
les brasseries
accrocher
les panneaux-réclame
les déménageurs
les comptables
les consommateurs
la boisson
les commerciaux
désaltérant
un détaillant

Si vous regardez les ________ télévisés ou jetez un coup d'oeil sur ________ au bord de la route, il y a de bonnes chances pour que les publicités pour la bière vous soient familières. Les trois ________, Labatt, O'Keefe et Molson, lancent des campagnes sûres de ________ la clientèle de chaque sous-groupe, qu'elle se compose de ________ de piano, de ________ ou, au contraire, de ________ et de ________. Ces ________ achètent moins pour le goût de ________, moins pour ses qualités de boisson ________ que pour l'image de marque qu'elle véhicule. Récemment, le commerce de la bière a connu une grande révolution : le gros buveur a fait place à ________ qui, lui, préfère sa bouteille de « légère ». Le contenant aussi a subi des transformations. Les ________ et surtout les propriétaires des ________ n'ont pas beaucoup apprécié le remplacement des ________ par des ________. C'est clair que les ________ ne se préoccupent pas de la ________.

VI.

Mettez les phrases suivantes en anglais en soignant particulièrement la traduction des parties soulignées :

1. Ils sont entrés *en guerre* les uns *contre* les autres.
2. Mais chacun *s'entête à vouloir* une part plus grande du marché de la bière, même si tout le monde sait que ce marché-là est *en régression*.
3. « L'homme des tavernes », capable de boire 100 verres de six onces dans sa journée ou *d'avaler deux grosses* et de *rouler* et d'allumer une cigarette en une minute, cet être chaud et *haut en couleurs, tantôt écrasé* de mélancolie, tantôt cédant à l'euphorie, ce personnage à la fois attachant et inquiétant est entré dans le folklore.
4. Les gars *trinquent* très civilement dans les beaux pubs *cossus* avec de belles *femmes d'affaires*.
5. Pas étonnant que tous les messages *se ressemblent à s'y méprendre*.
6. Ils regardent ce qui se passe *chez les consommateurs* et chaque fois qu'ils croient discerner un sous-groupe assez important pour justifier une campagne, *ils mettent leur machine en marche*.
7. On peut en boire *en toute occasion*.

VII.

Exercices de rédaction

1. « Traditionnellement, la bière est une boisson d'hommes. La proposer aux femmes et aux petits buveurs, c'est lui enlever ses qualités viriles, l'émasculer, la dénaturer. » Qu'en pensez-vous?
2. « Ils gagnent leur vie en col blanc, mais s'amusent encore à la col bleu ». Expliquez d'abord ce que vous entendez par cette description des en-

fants du *baby boom*, puis expliquez si vous êtes d'accord avec l'auteur.
3. «On choisit une marque parce qu'on se reconnaît dans l'image de marque qu'elle propose (...) ou parce qu'on veut ressembler à cette image de marque. En fait, on boit un statut social.» Pensez-vous que cette remarque s'applique à tous les produits que nous consommons?
4. La publicité sous une forme ou une autre touche à tous les aspects de la vie d'un individu. Ses effets sont-ils positifs ou négatifs?
5. Dans quelle mesure la publicité détermine-t-elle nos besoins et nos ambitions?
6. Comment notre culture changerait-elle si toute publicité était interdite? (Pensez au rôle joué par la publicité dans la publication des journaux, des revues, à la télévision.)
7. Si l'alcool, le tabac et les drogues représentent un danger pour la santé, devrait-on permettre à ces produits de faire la publicité?

La gestion du désir

Dans une salle de cours de Ville Saint-Laurent, en banlieue de Montréal, une trentaine d'élèves ont les yeux rivés sur un film vidéo. Pourtant, il ne s'agit pas de Michael Jackson. Zoom-in. Nos starlettes sont deux boulettes de viande... Le public s'attendrit sur l'histoire navrante de ces sacrifiées, surgelées à leur naissance dans l'azote liquide (−320°F) dans un entrepôt de Toronto! Elles n'en feront pas moins, quelques jours plus tard, une carrière éblouissante sur les planches, ou plutôt sur les grils de la chaîne McDonald. *1*

«Vous n'avez pas affaire à Joe Binne», semblent dire les deux rondelles de boeuf sur l'écran... Car notre duo Big Mac n'a rien à voir avec ses graisseux cousins de Miss Patate, qui donnent plutôt dans le burlesque alimentaire. Cuites précisément pendant deux minutes et cinq secondes (75 secondes d'un côté, 50 secondes de l'autre), ces aristocrates ont introduit l'ordinateur dans les coulisses du *junk food business.* Le hamburger informatisé, rien de moins. *2*

Lumière. La salle est conquise. Mais les élèves, en stage de préparation à une carrière chez McDonald, ont surtout bien appris leur leçon : Ray Kroc, le vénéré père du hambourgeois de masse, a mis fin à l'amateurisme et à l'improvisation dans la restauration «bas de gamme». *3*

«C'est juste si on n'a pas de manuels pour montrer à nos employés comment étendre la moutarde», me dira Pierre Beaudry, vice-président au marketing pour le Québec. *4*

Boutade, bien sûr, mais qui donne une idée de l'obsession du détail presque maniaque que l'on cultive dans ces usines du prêt-à-manger... *5*

Au siège social de McDonald au Québec, deux professeurs enseignent à temps plein le «McDonald Way» avec un matériel vidéo qui rivalise avec celui des stations de télévision. Traduction simultanée en option. Il y a des cassettes sur tous les sujets, de la gestion du service à l'auto à l'art délicat de ramasser les ordures. Rien n'échappe à cette machine qui a sorti la restauration de ses chaudrons mal récurés pour la porter dans la haute sphère des salles de conférences douillettes, où des spécialistes du marketing ont troqué la cuillère à pot pour les cartes-réponses informatisées. C'est ainsi que McDonald connaît sous toutes ses coutures son client sandwichophile : trois fois l'an, on tient un *training area survey,* sorte de réunion au sommet où cadres et ordinateurs analysent le dernier échantillonnage de petites cartes plastifiées, glanées en succursale par des hôtesses bienveillantes auprès de consommateurs-cobayes. Le moindre besoin nouveau y est décelé, puis comblé sans retard. La mise en marché des McCroquettes au Québec est due à ce système efficace. Le succès de la restauration-minute tient en partie à cette stratégie technologique, sorte de marketing-minute qui consiste à convertir dans l'assiette, en un temps record, l'évolution de la clientèle. *6*

Car Ray Kroc n'a pas inventé le hamburger. Le fast-food n'est pas une cuisine. C'est d'abord un modèle de gestion calqué sur la grande industrie. 7

Alors que dans la restauration traditionnelle, gérée selon le vieux principe du *try and see*, les pertes en nourriture s'élèvent jusqu'à 10 % du chiffre d'affaires, dans la restauration rapide elles oscillent autour de 1 % ! Dans le cas des Rôtisseries Saint-Hubert, elles sont même de 0,50 % à 0,75 %... Qu'au bout de la chaîne sorte un Whopper, une poitrine numéro 3 ou de la salade déshydratée, peu importe. 8

La chaîne de gavage, bien huilée, pilotée par des gestionnaires informés, martèle de jabs une industrie artisanale qui croule au tapis : en 1977, la restauration traditionnelle comptait encore pour 90 % du marché québécois. Cette année, sa part n'est plus que de 57 %, une chute d'un tiers. En fait, en moins d'un an, de 1982 à 1983, la part de marché de la restauration rapide a connu ici une croissance d'environ 175 % ! 9

La désuétude administrative du petit restaurant familial : telle est la dure conséquence de l'invasion des Henry Ford de la boulette et de la cuisse de poulet. Elle explique en bonne partie que sur 1000 restaurants qui ouvrent leurs portes au Québec, 780 disparaissent en moins d'un an. Ne cherchez pas dans cette liste noire le nom d'un seul fast-foodeur, il n'y en a pas. 10

Selon un conseiller du Centre de consultation de l'Institut d'hôtellerie du Québec, centre qui a pour mandat d'aider les entreprises moribondes, les méthodes de fonctionnement du restaurant traditionnel imposent des charges salariales qui entraînent l'hécatombe. Ce garçon de table si empressé, qui vous couvre de sollicitude, revient cher... Sur une addition de 40 dollars, ses belles manières vous coûtent environ 15 dollars! Claude Tessier, directeur général de l'Association des restaurateurs du Québec, estime même que ces reliquats de la «bonne vieille restauration», le garçon et son estimé collègue Le Grand Chef, grugent bien souvent plus de 40 % des revenus du restaurant-artisan. Une contre-performance gênante lorsqu'on sait que les géants du fast-food au Québec ne consacrent à ce chapitre qu'un peu plus de 20 % de leurs recettes, d'ailleurs colossales – souvent plus d'un million de dollars par succursale. Productivité inéluctable d'une caissière qui fait apparaître devant vous six McCroquettes, une frite, un Pepsi et un seau multicolore pour votre enfant en moins de trois minutes... 11

«Comme si cela n'était pas assez, se lamente Claude Tessier, le gouvernement du Québec vient assommer le petit restaurateur avec sa loi 43, qui oblige une petite industrie déjà en faillite à payer les congés de ses employés à pourboire. Je connais un restaurateur qui a dû payer ainsi 7000 dollars en frais de congé le jour de la Saint-Jean! Une surcharge salariale qu'évitent les chaînes de fast-food, dont la majorité des employés sont à salaire.» 12

Une étude réalisée par les comptables montréalais Caron, Gordon, Bélanger va dans le même sens : elle estime que la loi 43 va faire perdre 56 millions de dollars et 3200 emplois à l'industrie de la restauration traditionnelle! 13

L'invasion de la cuisine rapide et les interventions politiques aggravent une situation déjà difficile : c'est au Québec que la concurrence est la plus forte dans le secteur de la restauration. On y compte un restaurant pour 488 habitants comparativement à un pour 1100 en Ontario. C'est une des explications du taux de faillite record dans ce secteur (52 % des faillites déclarées au Canada dans ce réseau). Et ce n'est pas l'industrie du fast-food qui gonfle ces chiffres : entre 1976 et 1981, les chaînes de hamburgers ont augmenté le nombre de leurs succursales de 50 %. Les chaînes de rôtisseries, de 64 %. 14

La plupart des spécialistes prédisent même un raz-de-marée apocalyptique de nouveaux venus dans la restauration-minute. Un déluge de néons multicolores qui va s'abattre bientôt sur le Québec et rendre nous routes semblables à des comptoirs géants de libre service. « On n'a encore rien vu! s'exclame Gérard Virthe, un conseiller indépendant. Dans cinq ans, il y aura sur le marché 25 sortes de hamburgers qu'on pourra napper de mille manières... Et 50 sortes de sandwiches au poulet, une variété infinie de fast-desserts... » Mais ce raz-de-marée ne risque-t-il pas justement de tuer les géants comme McDonald ou Burger King? « Pas du tout, assure Gérard Virthe. Lorsqu'on plante un Burger King à côté d'un McDonald, on n'enlève aucune clientèle à l'un ou à l'autre; on ne fait que provoquer une plus grande variété de produits sur le marché. » 15

Dans un édifice de Laval, un conciliabule de cadres se penche sur une étude psychométrique commandée, au coût de quelques dizaines de milliers de dollars, à la maison montréalaise Centre-Plus. La grande question à laquelle doit répondre cette étude : que recherchent les Québécois dans un restaurant ? 16

Chose étonnante, l'étude révèle que le prix est désormais facteur presque négligeable. Michel Lafont, qui participait au conciliabule, est responsable du marketing aux Rôtisseries Saint-Hubert. Il m'explique : « Avant, le premier élément que cherchait la clientèle, c'était la qualité de la nourriture. Venaient ensuite, en ordre d'importance, le prix, le service et en dernier lieu l'atmosphère. Depuis cinq ans, on a remarqué un renversement de tendance : l'atmosphère est passée en deuxième position ex aequo avec le service et le prix est relégué à la dernière place. » 17

Cette découverte donnera naissance à ce que l'entreprise appelle « l'expérience globale », qui projette le client dans un espace psychovisuel sécurisant et divertissant à la fois. Pour comprendre ce concept architectural, contemplez les verrières du Pastelli (une chaîne de restaurants italiens, propriété de Saint-Hubert), à Laval. « Nos verrières ne sont pas là par hasard, explique Michel Lafont, elles ont autant d'importance que les spaghettis...» Et peut-être aussi que le poulet : trois restaurants Saint-Hubert subissent actuellement le «traitement verrière», qui devrait, selon les dirigeants, donner des ailes au chiffre d'affaires. 18

Voilà la «cuisine» qu'a introduite le fast-food. Plutôt qu'un menu, c'est une gestion. La gestion du désir. Désir du roi-consommateur dont on scrute à la loupe, et à grands frais, les moindres sautes d'humeur. C'est ce qui pousse, par exemple, une chaîne comme Harvey's à refaire la décoration de ses succursales de fond en comble tous les cinq ans. Un petit caprice esthétique qui coûte à Food Corp., propriétaire de la chaîne, 100 000 dollars par restaurant. 19

La restauration, naguère vocation et art, est devenue une technique commerciale. Il ne faut dès lors pas se surprendre de voir poindre à l'horizon une nouvelle branche de l'informatique : la «cuisinotique»! 20

Les «machines à hamburger» que testent actuellement Burger King et McDonald sortent directement de Silicon Valley. Et l'industrie du fast-food n'est pas la seule à avoir compris l'importance de ce nouveau secteur de pointe pour la restauration. Remanco, une firme de Dorval, offre aux restaurateurs indépendants un ordinateur spécifiquement conçu à leur intention et muni d'un logiciel unique : 21

«C'est un truc fantastique!» s'exclame Daniel Noiseux, un des propriétaires du restaurant La Pizzaiole à Outremont. «Ça permet de connaître quotidiennement le coût de revient de la pizza numéro 22 ou le rendement de la serveuse numéro 4. Ça rend presque désuet le comptable. Mais surtout ça va accroître terriblement l'efficacité de la gestion des propriétaires indépendants. Les restaurateurs qui ne disposeront pas de cet outil vont crever à brève échéance...» 22

Ce n'est d'ailleurs pas par hasard que plusieurs indépendants se jettent goulûment sur le succulent gadget. Ils ont compris que la cuisine informatisée leur permettrait peut-être de résister à l'offensive des fast-foodeurs de pointe. C'est le cas, par exemple, du restaurant La Tyrolienne à Québec, où les serveurs transmettent leurs commandes à partir d'un clavier central dans la salle à manger, ce qui maximise leur rendement en évitant les déplacements inutiles. 23

En fait, plusieurs restaurateurs tirent aujourd'hui les conclusions de la grande leçon que leur a servie l'industrie du fast-food : seules la spécialisation et la gestion stricte du personnel leur permettront de s'en tirer. C'est pourquoi, selon plusieurs spécialistes, on va assister dans un proche avenir à une multiplication effarante des restaurants spécialisés. Déjà, à Montréal, le phénomène prend de l'ampleur; il y a maintenant les restaurants à potages, à croissants, à tartes, à salades, sans compter ces précurseurs, les crêperies... 24

Cette surspécialisation va entraîner dans son sillage même le restaurant de haut de gamme. C'est déjà fait en Californie, où Spago, à Beverly Hills, offre à sa clientèle des pizzas «gastronomiques» comme la pizza au filet de canard à 27 dollars pièce... Même phénomène à New

York, où les restaurants à 150 dollars prolifèrent. «La grande mode à New York, dit Daniel Noiseux, ce n'est plus de dire qu'on est allé voir tel film, tel spectacle, mais de se faire voir dans un restaurant huppé où les factures s'échelonnent de 100 à 300 dollars!» 25

Cette tendance est d'ailleurs reconnue par le Centre de recherche technologique de l'Institut d'hôtellerie, qui pousse maintenant les restaurateurs à réduire leur menu et à trouver «des idées géniales». Du reste, la Californie offre déjà une image de ce qui va se passer ici : il n'y a plus là-bas, disent les experts, que les stands à tacos des grandes chaînes et les restaurants haut de gamme archispécialisés. Les méthodes de gestion introduites par l'industrie du fast-food, et que sont forcés de suivre les restaurateurs indépendants, empêchent en effet la survie du restaurant «moyen», à la clientèle et au menu flous. Bill Pothotos, qui dirige les destinées de Burger King au Québec, résume bien le scénario probable : «D'ici quelques années, il n'y aura plus que deux types de restaurants : le fast-food et le restaurant gastronomique de haut calibre. Tout ce qu'il y a entre les deux va s'effondrer!» Gérard Virthe partage cet avis : «C'est tout le segment *upper-middle class* qui va disparaître.» 26

Le romantisme alimentaire et l'improvisation administrative sont désormais choses du passé. C'est toute la carte de la restauration qui va s'en trouver modifiée, ainsi que nos habitudes de consommateurs. Les gestionnaires du hamburger, paradoxalement, ont donnée naissance à une nouvelle sorte de gastronomie, qui consiste à élever et dévorer le consommateur lui-même. Un plat raffiné que se disputent âprement les nouveaux gestionnaires du désir. 27

par Pierre Racine

Les gestion du désir

Pierre Racine

A. Compréhension du texte

Sous-titre

1. Relevez les deux mots clés qui indiquent la direction que prendra l'article.

Paragraphe 1

2. Relevez tous les détails qiu contribuent à la personnification de la boulette de viande.

Paragraphe 2

3. Comment l'auteur insiste-t-il sur la qualité d'un Big Mac?
4. Que faut-il entendre par «Vous n'avez pas affaire à Joe Binne»?
5. Qu'appelle-t-on des «aristocrates»? Pourquoi?

Paragraphe 3

6. Quelle est la métaphore qui structure ce paragraphe?
7. Quelle phrase reprend l'idée du «hamburger informatisé» du paragraphe précédent?

Paragraphe 4

8. Qu'est-ce que la remarque de Pierre Beaudry sert à illustrer?

Paragraphe 5

9. Quel est le mot clé de ce paragraphe?

Paragraphe 6

10. Quel est le mot clé de ce paragraphe?
11. Relevez tout le vocabulaire qui met en valeur la modernité et l'efficacité du «McDonald Way».
12. Quel est l'équivalent français de «fast-food restaurants»?
13. Comment s'explique le succès du «McDonald Way»? Soulignez les deux phrases clés.
14. Comment appelle-t-on au Québec «chicken McNuggets»?

Paragraphe 7

15. Ce paragraphe sert à ________________ ce qu'est le fast-food.

Paragraphe 8

16. Quel est le mot clé de ce paragraphe?

Paragraphe 9

17. Par quelles métaphores l'auteur désigne-t-il :
    a. la restauration rapide
    b. la restauration traditionnelle?
18. Quel marché est en croissance?

Paragraphe 10

19. Soulignez la phrase clé de ce paragraphe.

Paragraphe 11

20. Dans ce paragraphe il est question des ________________ dans le restaurant traditionnel et dans le fast-foodeur.
21. Qu'est-ce que le contraste entre « ce garçon de table si empressé » et la « caissière qui fait apparaître devant vous six McCroquettes... » sert à renforcer?

Paragraphe 12

22. Soulignez la phrase clé de ce paragraphe.
23. L'auteur fait mention de deux catégories d'employés. Relevez-les.

Paragraphe 13

24. Résumez en une phrase le contenu de ce paragraphe.
25. Comment ce paragraphe est-il relié au précédent?

Paragraphe 14

26. Quelle est la fonction de la première phrase de ce paragraphe?
27. Quel est le mot clé de ce paragraphe?
28. Quels sont les deux exemples de l'industrie du fast-food cités dans ce paragraphe?

Paragraphe 15

29. Relevez toutes les occurrences du mot « raz-de-marée » dans ce paragraphe, puis trouvez le terme qui est son équivalent.
30. De quoi nos routes auront-elles l'air s'il y a une expansion de la restauration-minute?
31. Les experts prévoient-ils une expansion ou un déclin de l'industrie du fast-food?
32. Relevez tout le vocabulaire se rapportant à l'expansion ou au déclin.

Paragraphe 16

33. Quel est le mot clé de ce paragraphe?
34. A quelle question cherche-t-on la réponse?

Paragraphe 17

35. D'après cette étude, quels sont les facteurs qui entrent en ligne de compte lorsqu'on choisit un restaurant?

Paragraphe 18

36. Quel est le repère diaphorique qui renvoie à ce qui a déjà été dit?
37. Faites la liste des détails qui servent à expliquer ce qu'il faut entendre par « l'expérience globale ».

Paragraphe 19

38. Quels sont les trois termes de ce paragraphe qui se rapportent au comportement?
39. De qui cherche-t-on à satisfaire les désirs?

Paragraphe 20

40. Qu'est devenue la restauration?
41. L'auteur pense-t-il que cette tendance va aller en s'accentuant?

Paragraphe 21

42. Qu'est-ce que c'est que les « machines à hamburgers »?

Paragraphe 22

43. Soulignez les deux mots d'argot employés dans ce paragraphe.
44. Quelles sont les capacités de cette machine?

Paragraphe 23

45. Quelle est la fonction de ce paragraphe?

Paragraphe 24

46. Quelles sont les conclusions que tirent les restaurateurs? Soulignez la phrase clé.
47. Citez les exemples donnés qui illustrent ce que l'on entend par la spécialisation.

Paragraphe 25

48. Comment ce paragraphe est-il relié au paragraphe précédent?
49. Cette spécialisation se limite-t-elle aux restaurants de bas de gamme? Soulignez les deux exemples donnés.

Paragraphe 26

50. Dans ce paragraphe il est toujours question de la ________________ .
51. En fait, qu'est-ce qui va disparaître?

Paragraphe 27

52. Comment ce paragraphe est-il relié au paragraphe précédent?
53. Montrez comment ce paragraphe résume les idées présentées dans le texte.
54. Quel est ce «plat raffiné» que se disputent les nouveaux gestionnaires?

B. Analyse sociolinguistique

1. Quel est le ton de ce texte?
2. Quelle est la fonction de ce texte? S'agit-il d'un article sur la cuisine ou sur la gestion? Justifiez votre réponse.
3. Comment expliquez-vous le titre?

C. Étude de langue

I.

1. Trouvez un équivalent français pour les anglicismes et emprunts suivants relevés dans le texte.
   a. zoom-in
   b. junk-food business
   c. le McDonald Way
   d. le sandwichophile
   e. le fast-food
   f. le vieux principe du try and see
   g. marteler de jabs
   h. un fast-foodeur
   i. les fast-desserts
   Qu'est-ce qui justifie l'emploi de tant d'anglicismes?
2. Y a-t-il des éléments de langue caractéristiques du français-canadien?

II.

Choisissez la définition qui correspond le mieux au sens de l'expression donnée.

1. Les enfants *ont les yeux rivés sur* les gâteaux.
   a. ils les regardent très attentivement
   b. ils rêvent de gâteaux

c. ils ont les yeux en forme de gâteaux

2. Connaissez-vous cet acteur qui a *fait une carrière éblouissante sur les planches*?
   a. il est devenu un magicien célèbre
   b. il a eu beaucoup de succès au théâtre
   c. il est bon danseur
3. Avant de lancer un nouveau produit, ils vont le tester auprès des *consommateurs-cobayes*.
   a. une nouvelle clientèle
   b. des individus qui servent de sujets d'expérience
   c. la clientèle régulière
4. Le restaurant familial traditionnel est une industrie
   a. qui grandit
   b. en faillite
   c. concurrentielle
5. Comme il n'est pas satisfait du décor de sa nouvelle installation, il va le refaire *de fond en comble*.
   a. le refaire complètement
   b. laisser les choses telles qu'elles sont
   c. le scruter à la loupe
6. Il *connaît parfaitement* la peinture moderne, c'est-à-dire,
   a. il la connaît sous toutes les coutures
   b. il a beaucoup de lacunes en peinture moderne
   c. il s'initie à la peinture moderne
7. Christophe est *sujet à des sautes d'humeur*, en d'autres termes
   a. il saute quand il est heureux
   b. il change rapidement de disposition
   c. il raconte des histoires drôles
8. Si un besoin est *comblé*,
   a. il est satisfait
   b. il devient plus urgent
   c. il y a des complications
9. L'auteur parle du *raz-de-marée* en faveur de la restauration-minute. Selon lui,
   a. les chaînes de restaurants fast-food sont de vrais envahisseurs
   b. les gens en ont ras-le-bol de la restauration-minute
   c. l'industrie du fast-food connaît des hauts et des bas
10. Les Jourdain, de vrais snobs, ne vont dîner que dans les *restaurants huppés* de Montreal. Ce sont
    a. des restaurants de luxe
    b. des restaurants genre club-privé
    c. des restaurants que fréquentent les « hippies »

III.

Donnez le contraire de chacun des termes suivants.
a. haut de gamme
b. la restauration rapide
c. une idée géniale
d. les employés à pourboire
e. surgelé

IV.

Remplacez les tirets par l'expression qui convient choisie dans la liste ci-dessous. Faites tous les changements nécessaires.

la concurrence
la restauration rapide
les rondelles de boeuf
alimentaire
surgelé
la restauration traditionnelle
une salle de cours
huppé
napper
la gestion
les chaînes de rôtisseries
géniale
les employés à salaire
s'en tirer
la succursale
le pourboire

Hier, j'ai assisté à une conférence donnée dans ______ désaffectée. Le professeur invité a parlé des habitudes ______ des Nord-Américains, illustrant son exposé avec des diapositives de ______ graisseuses et de boulettes de viande ______ . Il a cité des statistiques à l'appui de son argument que ______ gagne du terrain sur ______ . ______ s'avère la plus intense entre ______ et les restaurants ______ . Le succès inattendu de la chaîne McDonald s'explique-t-il par la façon dont on ______ un hamburger, ou par l'efficacité de la ______ et des ______ qui n'acceptent pas de ______ ? Est-ce que ce sont ces idées ______ qui permettent à chaque ______ de ______ avec un profit d'un million de dollars par an?

V.

A. Trouvez dans la colonne de droite le mot ou l'expression qui forme un ensemble cohérent avec le terme de la colonne de gauche.

a. un chaudron bien	a. d'affaire
b. à brève	b. un piéton
c. se tirer	c. le sort d'un enfant
d. heurter	d. de coups
e. s'attendrir sur	e. récuré
f. assomer	f. échéance

B. Employez chacun de ces ensembles dans une phrase qui illustre clairement le sens de l'expression.

VI.

Donnez l'équivalent anglais :
a. une restauration «bas de gamme»
b. ce nouveau secteur de pointe
c. à grands frais
d. le hamburger informatisé, rien de moins
e. les usines du prêt-à-manger

VII.

Donnez l'adjectif qui correspond aux adverbes suivants :
a. précisément
b. traditionnellement
c. comparativement
d. spécifiquement
e. goulûment
Que signifient les préfixes suivants?
*archi*spécialisé
la *sur*spécialisation

VIII.

Indiquez le genre des noms dans la liste ci-dessous .
a. chaîne
b. ordure
c. clientèle
d. gestion
e. restauration
f. rôtisserie
g. désir
h. ordinateur
i. marché

Barème

8/10 - 10/10	Bravo!
7/10	en bonne voie
6/10	bon courage
5/10	consultez plus souvent votre dictionnaire!

IX.

Exercices de rédaction

1. Comment expliquez-vous la mort du petit restaurant traditionnel, signalée dans l'article? Pensez-vous que cela s'explique seulement par la « désuétude administrative »?
2. Expliquez de quoi il est question dans la loi 43. Êtes-vous d'accord avec les principes de cette loi?
3. « C'est au Québec que la concurrence est la plus forte dans le secteur de la restauration » Pourquoi? Quelles sont vos hypothèses?
4. *Décor* « Un déluge de néons multicolores qui va s'abattre bientôt sur le Québec et rendre nos routes semblables à des comptoirs géants de libre service. » Imaginez le dialogue entre deux hamburgers : un hamburger de chez McDonald, l'autre de chez Burger King. Chacun affirme sa supériorité, mais ils ont aussi des bases communes. Quelles sont les confidences qu'ils échangent?
5. « Voilà la "cuisine" qu'a introduite le fast-food. Plutôt qu'un menu c'est une gestion. La gestion du désir. » Que pensez-vous de cette description de la restauration-minute?
6. « Les gestionnaires du hamburger, paradoxalement, ont donné naissance à une nouvelle sorte de gastronomie, qui consiste à élever et dévorer le consommateur lui-même. » Expliquez ce que vous entendez par cette remarque.
7. Comment expliquez-vous la popularité de la restauration-minute?
8. Quand vous choisissez un restaurant pour y emmener un(e) ami(e), à quoi pensez-vous d'abord, au décor ou aux plats qu'on y sert? Expliquez...
9. Pourquoi les gens vont-ils manger au restaurant?
10. Dans quelle mesure les chaînes de restaurants fast-food sont-ils un reflet de la société actuelle?

Vive l'auto

Autant le préciser dès l'abord. Je suis un adversaire de la limitation de vitesse uniforme et généralisée. Je suis un partisan résolu de la ceinture que j'utilise sur route et en ville, pour le moindre trajet. *1*

En me prononçant contre la limitation, je sais fort bien que je prends le risque de passer pour un «chauffard», pour un «inconscient qui a du sang sur les mains». *2*

En cette matière, le vocabulaire est massif et coloré. Il est utilisé sans relâche par ceux qui font carrière dans la répression et l'intoxication. Pour matraquer l'opinion, pour célébrer les vertus exclusives de leur réglementation – en même temps bien sûr que leurs propres mérites – les propagandistes officiels disposent d'un budget considérable. Leurs mots d'ordre et leurs insultes sont repris par des auxiliaires remplis de bonnes intentions mais souvent mal informés. On ne donne jamais la parole aux adversaires de la réglementation actuelle. Dans le domaine politique, l'opposition peut se faire entendre. En matière de circulation elle est, officiellement, condamnée au silence. Elle s'exprime, Dieu merci, dans quelques journaux. *3*

Dans ces conditions, il existe évidemment au sein de l'opinion une majorité en faveur de la limitation actuelle : la plupart de nos compatriotes ne l'ont jamais entendu réfuter. Je vais donc prendre ici le contre-pied de la thèse agréée qu'il est bienséant de tenir pour raisonnable et fondée – sans l'avoir autrement examinée. J'aime le combat et les causes difficiles. *4*

Le lecteur trouvera, dans ce chapitre, des vues rarement exprimées. Elles traduisent une conviction qui repose sur de longues années d'études et de réflexion. Le problème abordé ici est capital et riche d'aspects divers. Je m'efforcerai d'en parler en ne citant qu'un minimum de chiffres, dans les cas où ils paraissent indispensables. Voici en particulier deux indications qu'il convient de rappeler. En France, la route fait chaque année douze mille victimes – c'est beaucoup. Le tabac en compte infiniment plus à son actif. *5*

Compte tenu du développement de la circulation; la sécurité s'améliore, fort heureusement, de façon appréciable. Les responsables officiels s'en attribuent le mérite. Ils mettent cette évolution sur le compte de la seule limitation de vitesse. Une telle attitude est discutable. Pourquoi, tout d'abord, ne jamais parler des progrès réalisés par les voitures et par le réseau routier? *6*

En réalité, depuis 1929, le réseau routier s'est transformé ainsi que l'automobile : tenue de route, freinage, pneumatiques. La voiture est devenue infiniment plus sûre, tout en roulant beaucoup plus vite. Sait-on qu'en 1925 quelques maniaques composant le Comité permanent de la circulation avaient émis l'avis qu'une allure supérieure à 40 km/h devait être considérée comme excessive? Aujourd'hui d'autres «spécialistes» dirigent la Sécurité routière. Ils oublient de rappeler que la vitesse – qui les obsède – des voitures actuelles n'empêche pas celles-ci d'être plus sûres aujourd'hui que les véhicules qui roulaient deux fois moins vite il y a un demi-siècle. 7

Opposer systématiquement vitesse et sécurité est une démarche infantile. Mais la diffusion de cette doctrine aisément admise et approuvée par l'opinion peut aider au développement d'une carrière. 8

Le nivellement à 90 km/h de la vitesse maximale en toutes circonstances est une mesure stupide. On soumet ainsi au même régime les routes droites ou sinueuses, plates ou accidentées, larges ou étroites. L'absurdité a force de loi. 9

Les « spécialistes » de la Sécurité routière ne répondent jamais à de telles objections, ni aux autres. Ils se contentent de proclamer que :
– la limitation de vitesse est admise dans tous les pays;
– elle procure des résultats positifs. 10

Sur le premier point je voudrais évoquer ici un souvenir personnel. Vers 1970, j'ai rencontré à Paris, à l'occasion d'un congrès sur la sécurité routière, un jeune médecin britannique récemment installé en Australie. Le docteur Michaël Henderson était responsable de la securité pour l'Etat de Nouvelle-Galles du Sud. Nous avons longuement bavardé et les propos qu'il m'a tenus m'ont beaucoup impressionné. Voici en résumé ce qu'il m'a dit : 11

« Vous ne vous en doutez pas, mais vous aurez bientôt la limitation en France, comme dans l'ensemble du monde. Je l'ai trouvée en arrivant en Australie. C'est une mesure démagogique qui ne sert pas à grand-chose mais qui passe pour efficace. En imposant cette contrainte, les pouvoirs publics donnent l'impression de servir l'intérêt général, en ne nuisant qu'à quelques « chauffards ». Pourquoi voulez-vous qu'un gouvernement se prive d'une telle démonstration, approuvée par la majorité de la population? Tout le monde se donne ainsi bonne conscience. Si la limitation de vitesse me paraît illusoire, je crois beaucoup à la ceinture de sécurité qui, elle, protège systématiquement tous les automobilistes dans toutes les circonstances. » 12

Venons-en maintenant à l'affirmation des services de la Sécurité routière dirigés par notre « sinistre des transports » : la limitation de vitesse procurerait des résultats tangibles et substantiels. 13

Cette assertion n'a jamais été démontrée et on ne l'a pas rendue démontrable. En effet, la limitation de vitesse a été imposée en même temps que le port de la ceinture de sécurité; les incidences des deux mesures sont confondues, si bien que la diminution du nombre des décès peut être systématiquement et abusivement portée à l'actif de la limitation de vitesse. Nous verrons toutefois qu'il est possible de prouver l'efficacité de la ceinture. 14

En revanche, il est difficile à un automobiliste sérieux, non influencé par la propagande, de croire aux vertus de la limitation: celle-ci touche peu de monde et elle agit peu. 15

Oui, elle touche peu de monde. On cherche à nous faire croire qu'avant l'instauration de la limitation de vitesse les routes et autoroutes françaises étaient sillonnées par des «chauffards» (le vocabulaire des maniaques est décidément d'une grande pauvreté) circulant à 160 km/h. Il s'agit là d'une légende ridicule. À la veille de l'entrée en vigueur de la réglementation actuelle, la vitesse moyenne mesurée sur autoroute était de 118 km/h. Ce chiffre est irréfutable: 10 p. 100 à peine des automobilistes dépassaient 130 km/h. Comment oser prétendre qu'une mesure qui touche un dixième des intéressés peut avoir des incidences considérables? *16*

D'autre part, la limitation agit peu sur ceux qu'elle touche. A 131 km/h sur autoroute, à 91 km/h sur route, un automobiliste n'est pas, Dieu merci, nécessairement condamné. A 129 km/h sur autoroute, à 89 km/h sur route, il n'est pas, non plus, à l'abri de tout incident. Admettons, ce qui paraît généreux, qu'un conducteur bénéficie d'une sécurité accrue de 10 p. 100 en ramenant ainsi sa vitesse au-dessous de 130 km/h ou au-dessous de 90 km/h. De cet avantage supposé, 10 p. 100 des automobilistes sont admis à bénéficier : ceux qui auraient roulé à une allure supérieure à la vitesse autorisée. Ainsi 10 p. 100 des voitures bénéficient d'un gain de 10 p. 100. Résultat global : 1 p. 100. Nous verrons bientôt que la ceinture sauve plus de 50 p. 100 des vies humaines. *17*

En touchant peu de monde et en agissant peu, la limitation de vitesse pourrait être comparée à un vaccin de caractère douteux que l'on inoculerait aux seuls individus mesurant plus de 1,85 m de haut... *18*

Tour cela est fort intéressant, objecteront certains censeurs, mais vous semblez oublier une loi élémentaire de la physique. Ignorez-vous, par hasard, que la violence d'un choc croît comme le carré de la vitesse? *19*

Merci de cette attention; je ne l'ai pas oubliée. C'est à mon tour de poser une question, beaucoup plus embarrassante que la vôtre. Si les voitures sont vraiment vouées à se heurter comme des boules de billard, n'est-il pas criminel de tolérer une vitesse aussi démentielle que 90 km/h? Ne convient-il pas de fixer l'allure maximale à 15 km/h, ce qui semble déjà fort généreux et dangereux en cas de choc frontal? La phobie de la vitesse conduit à l'impasse. *20*

Faut-il rappeler qu'à trafic égal les autoroutes – où l'on peut rouler à 130 km/h – se révèlent trois fois plus sûres que le réseau ordinaire? Les progrès de la sécurité routière sont dus non seulement à la ceinture de sécurité et au perfectionnement des voitures, mais aussi à l'amélioration des routes et au développement des autoroutes. Contre 9 p. 100 de la circulation en 1973, celles-ci en accueillent aujourd'hui 15 p. 100, et ce taux devrait dépasser 20 p. 100 en 1985. En dehors des autoroutes, le réseau a bénéficié d'efforts nombreux et efficaces : voies express, déviations, élargissement des chaussées, rectification de courbes, aménagement de sommets de côte, pose de rails de protection, signalisation. On s'étonne que les ingénieurs des Ponts et Chaussées placés à la tête de la

Sécurité routière n'évoquent presque jamais les réalisations de leurs camarades. *21*

Ce qui chagrine beaucoup nos « spécialistes », c'est de voir l'Allemagne préserver la liberté d'allure sur les autoroutes. Nos voisins « recommandent » une vitesse maximale de 130 km/h mais ne l'imposent pas, ce qui développe chez les automobilistes le sens des responsabilités. La plupart des conducteurs d'outre-Rhin respectent ce plafond qu'ils considèrent comme acceptable; ceux qui estiment pouvoir rouler plus vite le font sans provoquer pour autant la moindre réaction de la part des autres usagers et sans considérer ceux-ci comme des conducteurs moins habiles. Chacun agit en connaissance de cause. 22

Quel est donc le résultat de cette expérience qui se prolonge au coeur de l'Europe comme une provocation? Le nombre des tués sur les autoroutes de la République fédérale ne cesse de décroître, alors que le trafic s'y intensifie. Ces voies modernes étant beaucoup plus développées que chez nous, elles acheminent le quart de la circulation totale. 23

Une étude réalisée entre 1975 et 1977 a montré d'autre part que, toujours sur les autoroutes, 72 p. 100 des voitures impliquées dans un accident circulaient à moins de 100 km/h. Dans 6 p. 100 des cas seulement la vitesse était supérieure à 130 km/h. Nous sommes très loin de l'image officielle qui tend à representer nos voisins comme des forcenés, simplement parce qu'ils ne s'alignent pas sur les idées fixes de nos obsédés. Avec une élégance et une délicatesse très caractéristiques, ceux-ci n'ont pas hésité à reprocher au gouvernement de Bonn de céder à des « groupes de pression » lorsqu'il a décidé de maintenir la liberté sur les autoroutes ! *24*

À ceux qui invoqueraient la nécessité de limiter la consommation de carburant pour justifier une limitation de vitesse à 130 km/h, signalons que nos voisins ont calculé l'économie que procurerait le respect de cette allure par tous les usagers et non par la très grande majorité d'entre eux. Le gain représente 0,5 p. 100 de la consommation d'essence et 0,1 p. 100 du tonnage global d'hydrocarbures utilisé par la République fédérale d'Allemagne. 25

De plus, l'industrie automobile d'outre-Rhin tire largement profit de la liberté qui règne sur les autoroutes et du prestige qui entoure les modèles étudiés dans ces conditions stimulantes. L'aérodynamisme, la mécanique, les freins, les pneumatiques ne peuvent que gagner à cette expérimentation quotidienne. Qui peut le plus peut le moins. Les marques allemandes bénéficient d'une auréole qui leur est très utile sur les marchés d'exportation. 26

Cela nous amène tout naturellement à évoquer les inconvénients d'une limitation uniforme et genéralisée, inconvénients dont, faut-il le rappeler, les grands maîtres de la Sécurité routière se gardent bien de faire mention. 27

Tout d'abord une telle réglementation nuit aux progrès de l'automobile. Les berlines américaines, affligées pendant longtemps d'une tenue de route et d'un freinage peu engageants, étaient destinées à des vitesses mesurées; à ces allures, les véhicules médiocres trahissent rarement leurs faiblesses. A 90 km/h tous les modèles se révèlent acceptables, même les moins bien conçus. La limitation généralisée est une invite à la multiplication des plus consternantes «machines à rouler»; elle crée les conditions d'une régression technique. *28*

D'autre part, la limitation handicape le conducteur. Elle peut, dans certains cas, lui faire perdre un temps précieux. En toute circonstance, elle conduit à un relâchement de la concentration, voire à la somnolence. Le rythme de la circulation gagnerait à être varié alors qu'on impose au contraire la monotonie sur nos routes. Des ralentissements se justifient en certains points d'un itinéraire par suite du tracé spécial de la route, de l'établissement d'une déviation provisoire, de travaux sur la chaussée. De telles limitations sont logiques. En outre, si gênantes qu'elles paraissent, elles peuvent couper l'uniformité d'un trajet. La limitation actuelle nivelle les itinéraires. Aux yeux du conducteur, elle tend à estomper les passages difficiles qui exigeraient une attention et une prudence particulières. En instaurant du début à la fin d'un trajet la même contrainte (90 km/h) – presque toujours injustifiée car le réseau français est très bon –, elle gomme les secteurs particuliers, elle éteint les vigilances, elle irrite le conducteur tout en le démobilisant. *29*

Ici apparaît un défaut très grave de la limitation généralisée. Elle influe non seulement sur le comportement physique de l'automobiliste, mais aussi sur son attitude morale. En lui imposant constamment une vexation inutile, elle dévalue les restrictions les mieux fondées. La limitation actuelle discrédite toute réglementation. Il est malsain de plonger des conducteurs lucides et avertis dans une atmosphère dont ils connaissent très bien le caractère artificiel. On fait naître en eux le mépris de tout ce qui est imposé, qu'il s'agisse sur la route d'une signalisation justifiée, ou plus généralement, dans la vie quotidienne, d'une règle édictée dans l'intérêt général. La limitation uniforme contribue à déconsidérer la légalité aux yeux du citoyen. *30*

Le système actuel présente un autre défaut qui se rattache tout naturellement au précédent. Il fait jouer un rôle étrange aux forces de police et de gendarmerie. J'éprouve de l'estime pour la gendarmerie dont j'ai eu maintes occasions d'apprécier la valeur et le dévouement. Les railleries qu'on lui adresse parfois sont assez faciles; en dépit des apparences, elles témoigneraient plutôt de la popularité dont jouit cette arme auprès de la population. Dans le cas des motocyclistes, on peut même parler d'un certain prestige. *31*

Mais la mission que l'on confie à la gendarmerie au bord des routes ne contribue pas à améliorer son image. J'en veux moins aux intéressés eux-mêmes qu'aux technocrates autophobes qui régentent la Sécurité routière et qui ont créé un tel état de chose. En dépit de toutes les déclarations qui ont été faites à ce sujet, il est navrant de voir des guetteurs en uniforme s'embusquer derrière des haies pour surprendre et pénaliser le contrevenant. Un automobiliste qui roule à 95 km/h sur une route large et dégagée – où la vitesse maximale pourrait être fixée à 100 km/h comme en Suisse et en Allemagne – ou encore à 136 km/h sur une autoroute dessinée et construite pour des allures très supérieures n'est pas un danger public. Les forces affectées à de pareilles tâches auraient mieux à faire. Elles sont amenées en effet à espacer leurs contacts avec la population; l'ordre public en souffre. *32*

Touchant la vexation, il est difficile de ne pas évoquer le problème des feux de croisement en ville car leur utilisation obligatoire émane des services de la Sécurité routière, inlassables lorsqu'il s'agit d'importuner les automobilistes. *33*

Il est stupéfiant que cette mesure absurde soit imposée aux Français qui en perçoivent fort bien les inconvénients, de trois ordres:

– elle accroît la consommation de carburant alors que l'on invite justement tous les utilisateurs d'hydrocarbures à limiter leurs exigences;

– elle n'améliore pas la sécurité, bien au contraire, surtout par temps de pluie, et lorsqu'un conducteur croise une multitude de véhicules se suivant en file indienne;

– elle fatigue les yeux et provoque des troubles circulatoires, comme l'ont souligné les ophtalmologues. *34*

Il est consternant qu'un ministre des Transports se rallie au point de vue du directeur de la Sécurité routière, au mépris de l'opinion et du bon sens et contre l'avis formel de l'Académie de médecine. *35*

Parmi les arguments invoqués pour justifier cette décision coûteuse et malfaisante, il en est un qui mérite une mention particulière car il atteint d'emblée les sommets. Le voici: l'utilisation des feux de croisement en ville a cours dans plusieurs pays étrangers, et notamment en République fédérale d'Allemagne ! Comble de l'hypocrisie, dans leur manie bien française de vouloir tout réglementer, les pouvoirs publics sont allés chercher une mesure discutable chez nos voisins, mais ils se gardent bien de faire bénéficier les automobilistes français des conditions dans lesquelles se trouvent placés les conducteurs d'outre-Rhin. En invoquant l'exemple de l'Allemagne sur ce seul point, ils n'osent évidemment pas se référer au libéralisme dont jouissent les usagers de ce pays. Rappelons qu'en République fédérale:

– la TVA sur les voitures est de 13 p. 100 et non de 33 p. 100 comme en France;

– les autoroutes sont gratuites;

– il n'existe pas de limitation de vitesse sur autoroute;

– les automobilistes peuvent circuler à 100 km/h sur les routes. *36*

Tout les Français seraient, je crois, mieux disposés à accepter les codes en ville si notre réglementation s'alignait sur celle de l'Allemagne, ou même simplement si la vitesse maximale sur route était fixée à 100 km/h, comme en RFA et en Suisse. *37*

Ayant exposé les raisons de mon hostilité à la limitation de vitesse, je voudrais dire en terminant pourquoi je suis, depuis la première heure, un adepte résolu de la ceinture de sécurité. *38*

Tous les cascadeurs utilisent des ceintures, et même des harnais. Cet exemple pourrait suffire. Les automobilistes ne sont pas des cascadeurs, mais ils peuvent, hélas, le devenir accidentellement, bien malgré eux. Il existe d'autres raisons de croire à la ceinture. Le meilleur argument en sa faveur me paraît être le document officiel publié chaque année sous le titre «Statistique annuelle des accidents de la circulation routière». J'ai sous les yeux l'étude relative à 1979. Les constats effectués à l'occasion de 83 147 accidents corporels font apparaître que le taux des tués équipés de ceintures est de 2,3 p. 100 pour le conducteur comme pour le passager avant. Parmi les occupants non ceinturés, cette proportion s'élève à 5,6 p.100 pour le conducteur et à 4,7 p. 100 pour le passager. Ainsi l'usage de la ceinture multiplie-t-il au moins par deux les chances de survie d'un automobiliste en cas d'accident corporel. *39*

Ces conclusions établies avec un sérieux exemplaire à partir d'un nombre très élevé de données sont rigoureusement irréfutables. Elles devraient convaincre les Français encore nombreux qui, mal informés, doutent de l'efficacité de ce dispositif. Elles devraient aussi inciter à un peu plus de réserve ceux qui, pour combattre l'usage de la ceinture, exploitent quelques cas isolés, malheureux et déplorables, mais dans lesquels il serait généralement bien difficile d'affirmer que l'absence d'une ceinture eût sûrement permis de sauver une vie humaine. *40*

Les adversaires de la ceinture ont volontiers recours à deux arguments qui résistent mal à l'examen: à les entendre, un automobiliste doit conserver la liberté d'utiliser ou non ce dispositif; il a le droit de disposer de sa vie, celle des autres n'étant pas en cause. C'est oublier qu'après un accident grave, un estropié peut demeurer à la charge de la collectivité, c'est-à-dire de nous tous. *41*

Sur un autre plan, certains soutiennent qu'utile sur route, la ceinture ne présenterait pas d'intérêt en ville, aux allures adoptées en circulation urbaine. Erreur grave. En cas de collision avec le véhicule qui précède même à 40 km/h, un conducteur non ceinturé et son passager éventuel courent le risque de heurter le volant, le tableau de bord et le pare-brise de leur voiture. L'utilisation de la ceinture en ville abaisse le nombre des blessés de la face et des yeux: les hôpitaux spécialisés le savent bien. *42*

Les adversaires de la ceinture connaissent très mal le rôle qu'elle joue. *43*

Gilles Guérithault

Vive l'auto

Extrait du livre de Gilles Guérithault

A. Compréhension du texte

1. Mettez en anglais: « Autant le préciser dès l'abord ».
2. Le thème de l'article est mis en valeur par l'emploi de deux contraires. Relevez-les.

Paragraphe 2

3. Relevez les termes péjoratifs qui s'attachent souvent aux individus qui se prononcent contre la limitation de vitesse.

Paragraphe 3

4. Trouvez les termes qui reprennent l'idée de « limitation de vitesse ».
5. Par quel terme l'auteur désigne-t-il ceux qui sont pour la limitation de vitesse?

Paragraphe 4

6. Quelle est la fonction de ce paragraphe dans l'ensemble du texte?

Paragraphe 5

7. Est-il question de donner une opinion purement subjective?

Paragraphe 6

8. Trouvez le mot français pour « traffic ».
9. Selon l'auteur quels sont les trois facteurs dont on devrait tenir compte quand on parle de l'amélioration de la securité routière?
10. A quoi se rapporte « en » dans la phrase « les responsables s'*en* attribuent le mérite »?

Paragraphe 7

11. Quels sont les changements les plus marquants intervenus dans la voiture depuis 1929?
12. Quel est l'argument que l'auteur adresse-t-il aux partisans de la limitation de vitesse?

Paragraphe 8

13. Quelle est la deuxième thèse enoncée par l'auteur?

Paragraphe 9

14. Faites la liste de tous les adjectifs qui décrivent les conditions de la route.

Paragraphe 11

15. Quels mots du texte signifient :
    a. road safety
    b. to chat

Paragraphe 12

16. Comment ce médecin britannique explique-t-il l'imposition de la limitation de vitesse? Combien de fois cette même idée est-elle répétée dans ce paragraphe?

Paragraphe 13

17. Que faut-il entendre par « sinistre des transports »?

Paragraphe 14

18. Quel est le terme qui assure le lien avec le paragraphe précédent?
19. L'efficacité de la limitation de vitesse a-t-elle déjà été démontrée? Pourquoi?

Paragraphe 15

20. Quelle est la fonction de ce paragraphe dans le contexte global de l'article?

Paragraphes 16, 17, 18

21. Montrez comment, dans ces trois paragraphes, l'auteur reprend, en les développant, les idées présentées dans le paragraphe 13.

Paragraphe 19

22. Quelle autre objection est soulevée par les partisans de la limitation de vitesse?

Paragraphes 20, 21

23. Comment l'auteur répond-il à cette objection?
24. Quel est le ton des paragraphes 20 et 21?
25. Quelles sont les améliorations de la route qui sont citées?

Paragraphe 22

26. Quel est le contraire de « limitation de vitesse »?
27. Trouvez un autre terme ayant le sens de « limitation de vitesse ».
28. Y a-t-il des avantages à ne pas avoir de limitation de vitesse?

Paragraphe 23

29. Était-ce une expérience positive? Trouvez les *verbes* clés.

Paragraphe 24

30. L'image des Allemands comme des forcenés est-elle juste?

Paragraphe 25

31. Quel est le mot clé de ce paragraphe?

Paragraphe 26

32. Qui d'autre tire profit de cette liberté d'allure? Comment?

Paragraphe 27

33. Quel est le mot clé de ce paragraphe?

Paragraphes 28, 29, 30

34. Dans les deux premiers paragraphes, relevez les termes qui montrent la progression du texte.
35. Faites la liste des inconvénients cités.
36. La limitation de vitesse « influe non seulement sur le comportement physique de l'automobiliste, mais aussi sur son attitude morale ». Relevez les trois formulations de cette idée.

Paragraphe 31

37. Comment ce paragraphe est-il relié au paragraphe précédent?

Paragraphes 31, 32

38. Comment la limitation de vitesse fait-elle jouer un rôle étrange aux forces de police?
39. Pourquoi l'auteur estime-t-il que « l'ordre public en souffre »? A quoi « en » renvoie-t-il?

Paragraphes 33, 34

40. Quelle autre mesure prise par la sécurité routière l'auteur de l'article critique-t-il? Soulignez le terme clé.
41. Quels sont les inconvénients de cette mesure?
42. Comment appelle-t-on un médecin qui s'occupe des yeux?

Paragraphes 36, 37

43. Quel est le mot clé de ce paragraphe?
44. Quels arguments cite-t-on souvent pour justifier l'existence des feux de croisement?
45. Qu'y a-t-il d'hypocrite et de profondément contradictoire dans cette attitude?

Paragraphe 38

46. Quelle est la fonction de ce paragraphe?

Paragraphe 39

47. Soulignez la phrase clé de ce paragraphe.
48. Quelles sont les raisons données dans ce paragraphe pour justifier le port de la ceinture de sécurité?

Paragraphe 40

49. Quelle est l'opinion de l'auteur sur les conclusions des rapports?

Paragraphe 41

50. Soulignez la phrase clé de ce paragraphe.
51. Quel est le premier argument?

Paragraphe 42

52. Comment ce paragraphe est-il relié au paragraphe précédent?
53. Quel est le deuxième argument avancé contre le port de la ceinture de sécurité?

Paragraphe 43

54. Quelle est la fonction du dernier paragraphe du texte?

B. Analyse sociolinguistique

1. Pourquoi l'auteur a-t-il écrit ce texte?
2. Quel est le ton de l'article?
3. S'agit-il d'une présentation objective ou subjective?
4. Quels sont les moyens stylistiques employés par l'auteur pour maintenir *le contact* avec le lecteur?

C. Étude de langue

I.

Dans ce texte il y a de nombreuses expressions de jugement. Relevez-les.

II.

Faites la liste des procédés stylistiques que l'auteur utilise pour réfuter les arguments de ses adversaires.

III.

Donnez le contraire des termes suivants:

a. sinueux, sinueuse
b. accidenté, accidentée
c. étroit, étroite
d. un adversaire
e. une limitation de vitesse
f. sans relâche
g. donner la parole à quelqu'un
h. obligatoire

IV.

Complétez les expressions suivantes en vous servant de la définition donnée.

a. regarder	jeter un ______
b. les paroles qu'il m'a adressées	les ______ qu'il m'a ______
c. permettre à quelqu'un de parler	donner la ______ à quelqu'un
d. dans le domaine de la circulation	en ______ de circulation
e. malgré	en ______ de
f. avoir des choses plus importantes à faire	avoir ______ à faire

V.

Dans le texte l'auteur établit plusieurs catégories de gens. Expliquez la signification de chacune des étiquettes suivantes :

a. les propagandistes
b. les compatriotes
c. les responsables
d. les maniaques
e. les spécialistes
f. les intéressés
g. les technocrates
h. les partisans
i. les adversaires
j. les guetteurs
k. les contrevenants

VI.

Déchiffrez les termes suivants en vous servant des explications données. Chaque mot se termine en *-phobie*.

a. la peur des espaces libres	l'ghioerapoab
b. la peur des autos	l'thobapouei
c. la peur d'être enfermé	la luchtapsrieboo
d. la peur de rougir	l'beuerthopihoie
e. la peur de la lumière	la topohpobhie
f. la peur des animaux	la boipzhoeo

VII.

Le suffixe -ard a une connotation péjorative en français. Dans le texte, l'auteur emploie le terme "chauffard".

a. Expliquez ce qu'il faut entendre par *un chauffard*.
b. Trouvez d'autres mots ayant le même suffixe péjoratif.

VIII.

Remplacez les tirets par l'expression choisie dans la liste ci-dessous. Faites tous les changements necessaires.

heurter	le volant
le tableau de bord	un réseau routier
une allure	la liberté d'allure
en dépit de	boucler
avoir mieux à faire	rouler
un millier	la sécurité
large	irréfutable
les partisans	les adversaires
obligatoire	la limitation de vitesse
la ceinture de sécurité	

Dans toute discussion portant sur le port ________ de ________, il y aura ceux qui sont « pour » – les ________, et ceux qui sont « contre » – les ________. Selon certains, la ceinture est complètement inutile dans les conditions suivantes : a) si on respecte ________, b) si la route est ________. Dans la mentalité de ces individus, une ________ raisonnable et un bon ________ suffisent pour assurer ________ de tous les gens qui ________ en voiture. Il va de soi qu'ils sont opposés à ________. ________ les chiffres qui démontrent de façon ________ que le port de la ceinture de sécurité sauve des ________ de vies chaque année, en empêchant le conducteur ou son passager de ________ de la tête ________ ou ________ en cas d'arrêt soudain, ils refusent de ______________ leur ceinture. La police ______________ que de passer son temps à pénaliser tous les contrevenants.

IX.

Donnez l'équivalent anglais de chacun des termes suivants faisant partie du vocabulaire de l'auto.

a. le réservoir d'essence
b. le pare-brise
c. le volant
d. la vitre
e. le tableau de bord
f. les pneus radiaux
g. les freins
h. l'accélérateur
i. les désembueurs de glaces latérales
j. le coffre
k. les sièges-baquet
l. le changement de vitesse
m. la direction assistée
n. le toit-soleil
o. la traction avant

X.

Mettez les phrases suivantes en anglais, en soignant particulièrement la traduction des parties soulignées.

1. En France, *la route fait chaque année douze mille victimes* – c'est beaucoup. Le tabac en compte infiniment plus à *son actif*.
2. En tenant compte de la seule progression *du parc automobile* il faudrait multiplier ce chiffre par vingt (quatre-vingt mille morts), et même par quatre-vingts, car le kilométrage annuel moyen a quadruplé en cinquante ans.
3. C'est une mesure démagogique *qui ne sert pas à grand chose* mais *qui passe pour efficace*.
4. Tout le monde *se donne ainsi bonne conscience*.
5. Ce n'était pas assez, semblait-il, pour justifier *une intervention déplaisante*, mais qui sait, c'était peut-être déjà trop *aux yeux de mon interlocuteur*?
6. *Sur un autre plan*, certains soutiennent qu'utile sur route, la ceinture *ne présenterait pas d'intérêt* en ville, *aux allures adoptées en circulation urbaine*.

XI.

Exercices de rédaction

1. Le port obligatoire de la ceinture de sécurité est-il un règlement dans l'intérêt public ou constitue-t-il, au contraire, une instrusion du gouvernement dans le domaine privé? Qu'en pensez-vous?
2. Qu'est-ce qui vaudrait mieux : dépenser de l'argent pour
   a. mieux former les jeunes conducteurs
   b. l'installation de ceintures de sécurité
   c. rendre les automobiles plus sûres?
   Expliquez clairement les raisons de votre choix.
3. Dans quelle mesure les ceintures de sécurité sont-elles efficaces en cas d'accident grave?
4. Comment pourrait-on persuader le public de « boucler sa ceinture de sécurité » sans nécessairement imposer le port obligatoire de la ceinture?
5. La différence entre les conducteurs français et les conducteurs nord-américains est-elle uniquement une différence de tempérament?
6. Parfois la limitation de vitesse contribue aux accidents plutôt que de les empêcher. Expliquez comment.
7. Devrait-on avoir des autoroutes à accès réduit où il n'y aurait pas de limitation de vitesse?

Entre deux bières...

Un conte de Noël d'Yvon Deschamps

Si c'était vrai... Si c'était vrai Noël... Si c'était vrai. Si c'était vrai le Petit Jésus... 1

Au moment où je me pose la question, je suis à la taverne. Je regarde la partie de hockey au milieu de quelques habitués fanatiques pour qui le sport c'est de regarder les autres en faire. Nous sommes l'avant-veille de Noël. C'est pour ça que je commence à rêver... à espérer. J'en ai vu des Noëls, mais jamais de miracles. D'aussi loin que je puisse me rappeler, les jours précédant Noël ont toujours été des jours d'espoir. Comme par enchantement, à minuit, le monde changerait. Plus de haine, d'animosité, plus de querelles, de chagrin... l'amour, l'amour, l'amour. Malheureusement, plus l'heure approchait, plus la réalité devenait «réelle», si vous comprenez ce que je veux dire. En fait «ça rempirait au lieu de s'emmieuter», comme disait mon père. 2

La veille de Noël, à midi, je partais de l'école pour me rendre à l'épicerie où je portais les commandes, et la course partait – dans la sloche en bicycle, avec le boss qui criait parce que les commandes sortaient pas assez vite, les clients qui s'énervaient parce que leur commande arrivait pas, sans compter les automobilistes qui, à partir de 3h30-4h, étaient de plus en plus paquetés, donc dangereux. Tu risquais ta vie à chaque dinde que t'allais livrer. En plus, les commandes étaient pesantes : trois ou quatre caisses de bière (dans ce temps-là les caisses étaient en bois), une dinde d'au moins 20 livres, et la bûche de Noël qu'il fallait éviter d'écraser. Tout ça pour 10 cents de pourboire pis 100 piastres de bêtises. 3

Malgré tout ça, je continuais à croire au miracle. Je me disais qu'en arrivant chez nous tout changerait. Erreur. J'arrivais chez nous vers 11 heures, mon père bougonnait en faisant l'arbre de Noël, ma mère était énervée parce qu'il lui manquait des ingrédients pour sa tourtière, pis que les cadeaux étaient pas enveloppés. Elle se fâchait parce que j'étais crotté et que j'allais être en retard à la messe de minuit. Elle me prédisait les pires choses de la part du frère reponsable des enfants de choeur. Je ne la croyais pas, je me disais, c'est Noël ! En expliquant au frère qu'en finissant de travailler à 11 heures, je pouvais difficilement aller prendre mon bain, me changer et être dans la sacristie à 11 h 15. Y va comprendre. Mais il ne comprenait pas. Même si c'était Noël, et surtout parce que c'était Noël, il était plus énervé que d'habitude. Y m'engueulait comme du poisson pourri... 4

J'enfilais ma soutane à toute vitesse et on allait s'aligner derrière le maître-autel, précédé du curé, son diacre, son sous-diacre, le thuriféraire, le cérémoniaire, les acolytes et les petits pages. Là on attendait impatiemment que la chorale entonne le *Minuit Chrétiens* pour se mettre en branle, et, en procession, aller porter le Petit Jésus dans sa crèche. 5

Une des plus grandes épreuves de la messe de minuit, c'était la procession. Tous les hommes étaient debout derrière l'église, et comme ils étaient tous paquetés, plus on approchait d'eux, plus les vapeurs d'alcool nous donnaient mal coeur. Mais quand on réussissait à retourner à nos bancs...là c'était beau. «Paix sur la terre aux hommes de bonne volonté... Toutes nos fautes nous sont rachetées...» *6*

Des cris me font sursauter... Canadien vient de compter. Je sais pas qui a compté, mais je profite de mon retour sur terre pour commander... je me sens tout seul quand ma table est pas pleine de draft. *7*

En payant le waiter je remarque à la table voisine un gars qui a vraiment pas l'air d'un gars de taverne. Je ne l'ai jamais vu ici auparavant. Je ne sais pas si lui me connaît, mais j'ai l'impression qu'il me regarde, même qu'il me fixe. J'espère que je lui dois rien! Ah pis... au fond, y me regarde probablement pas, y doit être perdu dans ses pensées, comme moi. Ça arrive à tout le monde de jongler... moi depuis trois ou quatre ans, quelques jours avant Noël, je me repasse tous mes Noëls d'antan. *8*

On était-il énervés en retournant chez nous après la messe de minuit... on avait donc hâte de voir nos cadeaux ! De manger de la tourtière, du ragoût ... On avait tellement hâte, on était tellement énervés qu'on digérait pas, on était malade toute la journée de Noël, on pouvait même pas jouer avec nos bébelles. Faut dire qu'y avait un miracle chaque année... C'est qu'avec tout ce qu'on s'empiffrait au réveillon, on en mourrait pas ! Et ces Noëls-là étaient quand même mieux que nos Noëls d'adolescents. Quand tu crois plus au Père Noël ni à la Fée des étoiles, quand tu rentres plus dans le petit train d'Eaton ou de Dupuis, quand t'es trop grand pour des jouets, pis qu'à Noël tu reçois une cravate ou des mouchoirs... c'est plate. À ce moment-là Noël devient une des pires journées de l'année. Et ça, ça dure longtemps. En fait, ça dure jusqu'à ce que t'aies des enfants. Là ça recommence, l'espoir... le miracle... *9*

Des cris, des hurlements. Canadien a dû compter un autre but. Je jette un coup d'oeil à l'écran. Non, c'est une bataille. Ce que les amateurs de sport aiment le plus, c'est tout ce qui est pas sportif. Les gars gesticulent, crient... sauf mon gars de tout à l'heure. Y est toujours là, assis, à me regarder. *10*

Je vais me tanner pis je vais y demander ce qui veut... y est peut-être de la police... y est grand, blond, frisé, y ferait une belle police montée... Ben, si y est dans la RCMP, y doit bien savoir que, par la poste, je reçois juste des comptes, personne ne m'écrit... Pis après tout qu'y me regarde, qu'y me regarde pas, ça ne fait pas mal... y fait sa vie, je fais la mienne. Parlant de la mienne, elle a besoin de remontant. «Waiter, six autres drafts, sivouplaît.» *11*

Quelle heure y peut ben être? Y doit pas être tard, la deuxième période est même pas terminée. Quand même, faut pas que je retarde trop, ma encore me faire chicaner. Ma logeuse se couche de bonne heure, pis elle veut pas qu'on entre tard, elle a peur qu'on barre pas la porte comme y faut. Je vois pas de quoi elle a peur, y a rien à voler. À moins qu'à 68 ans, elle crainge encore de se faire violer. Ça prendrait... un miracle. Tu sais jamais, une veille de Noël... *12*

C'est vrai que les veilles de Noël, c'est dangereux. Je me rappelle, jeune marié, on s'était fait vider notre logement pendant la messe de minuit : les meubles, le linge, les lampes... c'était dans le temps où les logements étaient tellement rares, que pour en avoir un, fallait que tu achètes le ménage. Pour m'en remettre, ça m'a pris des années à travailler le soir, les fins de semaine... toutes sortes de petits jobs pour arriver – arriver à quoi? Arriver à t'user, à vieillir. Quand en plus Noël arrive, les enfants, les cadeaux, un vrai cauchemar... Mais malgré tout, la veille de Noël, tu te mets à espérer, à croire, tout va changer. Les enfants, les frères, les sœurs, malgré tes problèmes, t'as pensé à eux, t'as fait de l'overtime pour leur acheter un petit quelque chose, y seront tellement heureux, touchés, que la vie va se transformer. On va être plus proche... le miracle, quoi. Mais le miracle ne se produit pas. Les années passent, ta femme passe, les enfants partent... ta vie reste. *13*

«Ça vous dérangerais que je m'assoye avec vous?» Je me retourne, c'est le grand blond frisé. «J'ai cru voir que le hockey ne vous intéresse pas, vous non plus...» Je lui réponds que ça m'intéresse mais que là je pensais à autre chose... Ensuite je me tais, je sirote ma bière. *14*

Il se met à me raconter sa vie. À l'écouter, j'ai l'impression qu'il ne travaille pas. Il me parle de gens, d'endroits où il va régulièrement, de différentes activités... mais pas de famille, pas de travail. Puis tout d'un coup y me demande : «Es-tu croyant?» Je me dis en moi-même : pas encore un jésus freak ! et je lui réponds très intelligemment : «Ça dépend.» C'est vrai au fond que ça dépend... Je crois des choses et pas à d'autres. *15*

Y me demande : «Crois-tu aux miracles?» Là je réponds sans hésitation : «Non.» Pour moi, les boiteux boiteront toujours, les aveugles verront jamais rien, pis tu pourras toujours crier dans les oreilles d'un sourd sans que ça y fasse mal. *16*

Y me dit : «O.K., peut-être pas ce genre de miracle-là, mais un miracle intérieur, une étincelle, une lumière intérieure qui fait qu'en une seconde, ta vie est transformée, ta vie prend un sens. Tiens, comme le miracle de Noël. Un petit enfant vient au monde et tout est changé.» C'est drôle qu'y me parle de ça. J'y pensais justement et justement de Noël en Noël, même si on approche du 2 000e, plus ça change plus c'est pareil. C'est vrai qu'y en a eu des beaux. Les années où mes deux gars étaient enfants de chœur et que la petite chantait dans la chorale, ma femme et moi on était tellement fiers, pendant la messe de minuit, qu'on portait pas à terre. Ensuite, revenus à la maison, on ouvrait les cadeaux, on mangeait tous les cinq. J'étais heureux... *17*

« Si ça peut durer quelques heures, ça peut durer pour la vie, non ? » C'est le grand blond qui vient de me dire ça. C'est bizarre parce que j'ai vraiment l'impression de ne pas avoir dit un mot ... Y me dit : « Si tu crois à l'amour, la beauté existe... s'agit simplement de croire et ta vie est transformée, tout prend un sens. » *18*

Facile à dire. Est-ce que ça un sens que ma femme soit morte au moment où les enfants étaients grands, pis qu'elle aurait pu avoir un peu de bon temps? Ça-t-il un sens que je perde mon emploi après 27 ans parce que la compagnie a fait faillite? Est-ce que ça a un sens que mes enfants viennent pas me voir parce que ça leur fait trop de peine que je sois obligé de rester en chambre. *19*

Y me dit : « Tout a un sens si tu crois que tout a un sens et je peux te le prouver... viens avec moi. » Je lui dis : « Pas question, je suis bien ici. En plus, faut pas que je rentre trop tard sinon ma logeuse va me crier après. » *20*

Y me dit : « C'est juste à côté, viens-t-en ! » Y se lève... je suis. C'est pas de ma faute, mais j'ai pas de volonté. C'est d'ailleurs un de mes gros problèmes, j'ai l'impression que n'importe qui pourrait me faire faire n'importe quoi juste en insistant un peu. Avant de sortir, y se présente : « Au fait, je m'appelle Paul. » Je lui serre la main sans lui dire mon nom. On sort – il neige – j'haïs la neige, mais la neige, cette fois-ci, ne semble pas me déranger, une petite neige fine, légère, un peu collante parce que c'est très doux dehors. Je ne sais pas combien de temps on a marché mais subitement on se trouve dans une petite rue que je connais pas. Pourtant je connais bien le quartier – depuis trois ans que je suis chômeur, je l'ai arpenté de long en large. On s'arrête devant ce qui devait être un petit magasin, mais maintenant y a des rideaux. On chante à l'intérieur, y a une petite lumière qui éclaire les quelques marches qui descendent au sous-sol. Depuis notre départ, Paul n'a pas dit un mot, moi non plus. Ça été le silence, la paix, même le bruit de nos pas était assourdi par la neige. *21*

Quand on entre, c'est le grand contrast. Les gens s'arrêtent de chanter et se précipitent sur nous... je devrais dire sur lui. Tout le monde est joyeux. Ça crie, ça lui serre les mains, les bras. On croirait que c'est le messie qui vient d'arriver. Y doit s'occuper d'eux autres d'une façon ou d'une autre. Des jeunes à cheveux longs, des vieillards, des infirmes, des retardés. Je me sens très mal à l'aise – je sais pas si on est à l'Armée du Salut, chez les petits pères des pauvres ou quoi. Tout ce que je sais, c'est que je fitte pas dans l'image – surtout que depuis notre entrée j'ai un mongol accroché au bras, qui me serre en faisant heu ! heu ! *22*

Paul me présente. Y dit simplement que je suis un ami et que je vais peut-être me joindre à leur groupe. J'ai des petites nouvelles pour lui. Je n'ai pas l'intention de me joindre à qui que ce soit surtout pas à une gang pareille. Mon mongol m'entraîne vers les petites chaises de bois disposées autour de la salle. On m'offre un café, des biscuits... et le chant reprend. Y chantent des airs connus, mais les mots sont changés. Ça parle de bonheur, d'amitié, d'amour, de joie, du seigneur, d'abondance. Toute le monde est super joyeux. Pour moi, c'est des freaks. Paul s'approche de moi. Y a deux ou trois enfants accrochés à lui : «Pis comment te sens-tu avec nous? Comme tu vois c'est simple, y a pas de fla-fla.» 23

J'en profite pour lui demander qui c'est ce monde'là. Y m'explique que c'est des gens démunis, seuls, sans foyer, sans famille. On les ramasse ici où là, où encore y sont dirigés ici par des gens qui connaissent la place. Là, y s'arrangent comme ils peuvent. Ce qui m'intrigue le plus, c'est de savoir comment ces gens-là peuvent être si joyeux, si ils ont rien. Paul me dit : «Quand t'as rien, t'as tout. Si t'as quelque chose, y te manque un paquet d'affaires. Si t'as rien, y peut rien te manquer.» 24

«Voulez-vous un autre café?» C'est une petite fille de neuf ou dix ans qui me pose la question. Elle est blonde, frisée, frisée, les yeux verts, et elle a des belles fossettes quand elle sourit. Je lui dis : «Oui, merci.» Elle part en courant. Paul m'explique que ses parents ont eu un accident de voiture. Son père est mort sur le coup. Sa mère est là, dans le coin de la salle, paralysée pour la vie. La petite revient avec mon café. Je lui demande de son nom. «Julie, et vous?» «Je m'appelle René.» Elle se met à crier : «Il s'appelle René, y s'appelle René...» Ce qui me gêne un peu. «René...» c'est un des jeunes aux cheveux longs : «Venez chanter avec nous autres...» Je réponds que c'est pas que j'aimerais pas ça, mais je connais pas de chansons. Y me dit qu'on va chanter des cantiques, que tout le monde les connaît. Y insiste, je plie... (maudite volonté). On se met à chanter des cantiques de Noël. *Les anges dans nos campagnes, Dans cette étable*... au début j'en reviens pas. Je me dis : «Qu'est-ce que je fais là. Si mes chums me voyaient, y riraient de moé.» Mais tout le monde est tellement heureux, tellement joyeux que je finis par me laisser prendre au jeu. Je regarde mon Paul, assis, tranquille, le sourire franc comme ça. Et sans m'en apercevoir, toute cette joie-là me gagne. J'oublie mes chums, ma logeuse, mes problèmes et je chante de tout mon cœur *Adeste Fideles, Il est né le divin Enfant*... et tout à coup, en chantant, je sens deux petites mains qui serrent la mienne. C'est Julie qui m'a pris la main. Elle chante, elle aussi. Elle me regarde avec ses grands yeux verts, pleins de lumière, pleins d'amour, de pureté, d'innocence. J'en ai les genoux qui tremblent, mon cœur bat plus fort, tellement fort que j'ai peur que les autres l'entendent battre. Je suis au comble du bonheur. C'est vrai que la vie peut avoir un sens, c'est vrai qu'on peut connaître des joies incroyables, simples. Suffit de sortir de soi-même, s'abandonner, se donner, croire... Au moment où on finit de chanter *Il est né le divin Enfant*, quelqu'un suggère qu'on devrait chanter *Minuit Chrétiens*. Rien qu'à y penser j'ai les yeux pleins d'eau. C'est vrai que dans un moment comme celui-là, le *Minuit Chrétiens* veut vraiment dire quelque chose. Julie crie : « C'est René que va le chanter. » Tout le monde se met à applaudir, à crier « René, René, René ». 25

Yvon Deschamps

Entre deux bières

Un conte de Noël d'Yvon Deschamps

A. Compréhension du texte

Paragraphe 1

1. Quel est l'effet produit par la répétition « Si c'était vrai... Si c'était vrai Noël . . . »?

Paragraphe 2

2. Où se trouve le narrateur?
3. Que fait-il?
4. Pourquoi commence-t-il à rêver et à espérer?
5. « J'*en* ai vu des Noëls ». Que désigne « en »?
6. Trouvez un terme équivalent pour « les jours précédant Noël ».
7. Expliquez : « Ça rempirait au lieu de s'emmieuter ».

Paragraphe 3

8. Donnez l'équivalent français de « Christmas Eve ».
9. Enfant, comment le narrateur passait-il la veille de Noël?
10. Par quels moyens stylistiques l'auteur donne-t-il une image concrète de « la course »?
11. Yvon Deschamps donne-t-il des indications sur le poids des commandes?

Paragraphe 4

12. Comment ce paragraphe est-il relié au paragraphe précédent?
13. Relevez les verbes qui montrent la mauvaise humeur des personnages présentés dans se paragraphe.
14. Pourquoi était-il pressé en rentrant chez lui à onze heures?

Paragraphe 5

15. Où se trouve le narrateur?

Paragraphe 6

16. Envisage-t-il la procession avec joie? Soulignez la phrase qui exprime son sentiment à ce sujet.

Paragraphe 7

17. Qu'est-ce qui coupe le rêve?
18. Mettez en anglais : «Canadien vient de compter».
19. Que boit-il?

Paragraphe 8

20. Que remarque-t-il en payant le waiter?

Paragraphe 9

21. On est sur quel plan, celui du rêve ou celui de la réalité?
22. Que faisait la famille après la messe de minuit?
23. Trouvez le mot du texte pour «la veille de Noël».

Paragraphe 10

24. Qu'est-ce qui passe à la télévision?

Paragraphe 11

25. Relevez les adjectifs qui décrivent l'homme qui le regarde.

Paragraphe 12

26. Il est fait deux fois mention de l'heure. À quel sujet?

Paragraphe 13

27. Qu'est-ce qui assure le lien entre les paragraphes 12 et 13?
28. Quel est le contraste autour duquel se construit ce paragraphe?
29. Soulignez toutes les phrases qui évoquent la dureté de la vie réelle.

Paragraphe 14

30. Qui adresse la parole au narrateur?

Paragraphe 15

31. De quoi le «type» lui parle-t-il?
32. De quoi ne lui parle-t-il pas?

Paragraphe 16

33. Qu'y a-t-il de contradictoire dans la réponse «non» du narrateur?

Paragraphe 17

34. Comment le «type» définit-il un miracle? Soulignez les mots clés de sa définition.

Paragraphe 18

35. Qu'est-ce que le narrateur trouve de bizarre dans leur conversation?

Paragraphe 19

36. Dans ce paragraphe, le narrateur pose plusieurs questions. Ses questions sont toutes des exemples de ________________ .

Paragraphes 20, 21

37. Qu'est-ce que le narrateur se reproche?
38. Comment s'appelle le «grand type blond»?
39. Quelle est la profession du narrateur?
40. De quoi parlent-ils pendant leur trajet?

Paragraphe 22

41. Le public est assez varié. Faites la liste des différents types représentés.
42. Relevez les phrases qui indiquent le bonheur des gens présents.

Paragraphe 23

43. Comment le narrateur décrit-il le petit groupe?
44. Quels sont les sujets de leurs chansons?

Paragraphe 24

45. Quel est le sujet de ce paragraphe?

Paragraphe 25

46. Qui est la petite fille qui lui offre un café?
47. Qu'est-ce qu'ils se mettent à chanter? Soulignez tous les exemples donnés dans le texte.
48. Selon René, qu'est-ce qui suffit pour «connaitre des joies incroyables, simples»?

B. Analyse sociolinguistique

Identifiez dans chacune des phrases suivantes les indices du français canadien. Refaites les mêmes phrases en français standard.

1. Tout ça pour 10 cents de pourboire pis 100 piastres de bêtises.
2. dans la sloche en bicycle
3. ...sans compter les automobilistes qui, à partir de 3h30-4h, étaient de plus en plus paquetés.

4. ...ma mère était énervée parce qu'il lui manquait des ingrédients pour sa tourtière, pis que les cadeuax étaient pas enveloppés.
5. Y va comprendre.
6. Y m'engueulait comme du poisson pourri.
7. ...je me sens tout seul quand ma table est pas pleine de draft.
8. En payant le waiter je remarque à la table voisine un gars qui a vraiment pas l'air d'un gars de taverne.
9. Ah pis... au fond, y me regarde probablement pas, y doit être perdu dans ses pensées, comme moi.
10. On pouvrait même pas jouer avec nos bébelles.
11. C'est plate.
12. Je vais me tanner pis je vais y demander ce qui veut... y est peut-être de la police... y est grand, blond, frisé, y ferait une belle police montée.
13. Quelle heure y peut ben être?
14. Quand même, faut pas que je retarde trop, ma logeuse va encore me faire chicaner.
15. ...t'as pensé à eux, t'as fait de l'overtime.
16. ...pas encore un jésus freak
17. ...ma femme et moi on était tellement fiers, pendant la messe de minuit, *qu'on portait pas à terre*.
18. C'est juste à côté, viens-t-en.
19. *Tout ce que je sais,* c'est que je fitte pas dans l'image.
20. J'ai des petites nouvelles pour lui.
21. Comme tu vois, c'est simple, y a pas de fla-fla.
22. Si t'as quelque chose, y te manque un paquet d'affaires.
23. Si mes chums me voyaient ils riraient de moé.

C. Étude de langue

Choisissez dans la liste ci-dessous la location qui traduit l'expression entre parenthèses.

les habitués
le chagrin
crotté
engueuler
enfiler
l'écran
jeter un coup d'oeil
un canif

des fossettes
la logeuse
un briquet
plus ça change plus c'est pareil
collant
arpenter de long en large
être au comble du bonheur
sur le coup

1. Mon amie a des joues à (dimpled) ________________ .
2. Avez-vous rendu (the lighter) ________________ et (the pocket knife) ________________ à votre (landlady) ________________ ?
3. On n'a même pas eu le temps d'appeler une ambulance : il est mort (on

the spot) ________________ .

4. Être aux anges veut dire (to be overjoyed) ________________ .
5. Est-il possible de faire deux choses à la fois? La dame qui était assise à tricoter (glanced) ________________ de temps en temps sur (screen) ________________ , suivant d'un oeil un nouvel épisode de son feuilleton préféré.
6. L'enfant qui était tombé dans la neige sale et (sticky) ________________ était (filthy) ________________ et s'est fait (to ball out) ________________ par sa mère.
7. Le pauvre type (to pace up and down) ________________ la rue, espérant que la fatigue allait lui faire oublier son (sorrow) ________________ .
8. C'est toujours la même histoire : (nothing changes) ________________ ________________ .
9. Les (regulars) ________________ de la maison savent qu'il faut (slip on) ________________ une chemise propre avant de se mettre à table.

IV.

Remplacez les tirets par l'expression qui convient, choisie dans la liste ci-dessous. N'oubliez pas de faire tous les changements nécessaires.

une partie de hockey
la bûche de Noël
les enfants de choeur
la chorale
la crèche
mal au coeur
s'empiffrer
les réveillons
boîter
faire faillite
l'Armée du Salut
démunie
ramasser
le chômeur

1. La ________________ confectionnée par le pâtissier du coin, les enfants de ________________ agenouillés autour de la ________________ , ________________ qui entonne « Il est né le divin enfant » : tant de détails qui me rappellent les ________________ de ma jeunesse.
2. Cela me fait ________________ de voir ces ________________ , ces gens qui ont tout perdu, ________________ du riz qu'on leur sert dans les cantines de ________________ .
3. Quand la grosse compagnie ________________ , elle a renvoyé tous les

employés qui étaient désormais des ________________ .

4. J'ai mal à la jambe, je ________________ un peu, donc, si vous ne voulez pas avoir à me ________________ toutes les cinq minutes, je ne participerai pas à la ________________ .

V. Exercices de rédaction

1. Rédigez la suite logique de ce récit.
2. « Si t'as quelque chose, y te manque un paquet d'affaires. » Êtes-vous d'accord avec Paul? Défendez votre point de vue.
3. « Quand tu crois plus au Père Noël ni à la Fée des Étoiles, quand tu rentres plus dans le petit train d'Eaton ou de Dupuis, quand t'es trop grand pour des jouets, pis qu'à Noël tu reçois une cravate ou des mouchoirs... c'est plate. À ce moment-là Noël devient une des pires journées de l'année. » Êtes-vous d'accord avec l'auteur?
4. Selon le narrateur, qu'est-ce qui assure l'espoir, le miracle?
5. « Si tu crois à l'amour, la beauté existe... s'agit simplement de croire et ta vie est transformée, tout prend un sens ». Expliquez le sens de cette citation en donnant des exemples.
6. Est-ce que la commercialisation de Noël constitue un élément positif ou négatif?
7. Que représente pour vous « l'esprit de Noël »?

Fiche d'accompagnement
Compréhension orale

Vocabulaire :

c'est le last call – it's the last call
la partie – the game
s'apercevoir de – to notice
bel et bien – entirely, fairly, quite
maudit que – cursed be
plate – boring
une logeuse – a landlady
déconner – to talk rubbish
mouillé – wet
étirer – to stretch
la patère – coat-peg
fouiller – to rummage, search through
machinalement – mechanically, unconsciously
mon briquet – my lighter
mon canif – my pocket-knife
froissé – wrinkled

Questions de compréhension

1. Quand René se réveille, où se retrouve-t-il?
2. Pourquoi a-t-il l'impression qu'il a rêvé tout cela?
3. Qu'est-ce qui lui fait douter que peut-être il n'a pas rêvé tout cela?
4. Qu'est-ce qu'il y a dans sa poche?
5. Quelle est l'importance de ce bout de papier?

Dictée

2

Le monde au féminin

Dans les mass-media et sur les lieux de travail on voit de plus en plus de femmes fortes : fortes dans le sens qu'elles ont l'étoffe qui les rend aptes à aborder avec intelligence et autorité toutes les questions qui touchent à l'exploitation et à l'oppression des femmes. Il y a plusieurs approches du féminisme, comme d'ailleurs de nombreux profils de féministe. Ceux et celles qui sont engagés dans les combats féministes, tout en reconnaissant les dangers que comporte la division sexuelle des tâches, ne partagent pas forcément les luttes ni les amertumes des militantes radicales. Le Conseil du Statut de la femme reconnaît la force de l'opinion publique et la nécessité, par conséquent, de mettre tout le monde dans le coup. Cela dit, il est temps de faire le bilan des résultats...

Pornocratie

Il y a quelques années, lors d'une réunion internationale d'écrivains en Finlande, j'eus l'occasion de dire quelques mots sur la pornographie. La discussion portait sur la répression politique et j'évoquai la possibilité d'un lien entre celle-ci et la pornographie. Un journaliste m'attaqua avec virulence. Selon lui, puritanisme et pornographie étaient l'envers et l'endroit d'une même médaille; et j'étais de toute évidence une prude. De toute façon, qu'attendre d'autre d'une Canadienne anglaise? *1*

Puis deux Scandinaves charmants me demandèrent pourquoi l'intervention du journaliste m'avait tant contrariée. A leur avis, la pornographie n'était que la représentation des prostituées... Où était le mal? *2*

Jusque-là, je ne m'étais pas rendu compte que le journaliste et moi comprenions deux choses tout à fait différentes. Pour lui, «pornographie» signifiait «nudité et sexe». Pour moi, le mot avait un tout autre sens. *3*

Je venais d'effectuer des recherches pour mon roman *Bodily Harm (Marquée au corps,* éd. Quinze) et je me trouvais encore sous le choc de ce que j'avais vu, notamment des scènes censurées par le Bureau de censure de l'Ontario : des femmes aux mamelons coupés au sécateur, au vagin planté d'un crochet ou éventrées; des petites filles violées et des hommes battus et sodomisés. Selon moi, le nec plus ultra de la pornographie ne consistait plus simplement à copuler, suspendu à un lustre ou autrement, mais à tuer de façon ignoble et sadique. *4*

C'est ce que j'expliquai aux gentils Scandinaves. «Oh ! dirent-ils, mais cela n'existe qu'aux États-Unis et tout le monde sait que les Américains sont des malades !» En Scandinavie, ce genre de pornographie violente, comme toute violence excessive, est interdite à la télévision et au cinéma. Ils faisaient la différence entre la violence, dont la représentation incite des hommes à brutaliser les femmes, et l'érotisme, qui n'a pas cette influence (si on en croit les recherches). *5*

Quelque temps après, la parution de mon roman m'amena à participer à une ligne ouverte radiophonique en Saskatchewan, et à répondre à des questions sur la pornographie. Aucun participant, ou presque, n'était pour. Mais là encore, nous ne parlions pas de la même chose. Certains, bien sûr, rêvaient d'interdire les maillots de bain, les déshabillés et, si possible, toute représentation du corps féminin. Dieu, sous-entendait-on, n'aimait pas le corps des femmes et réprouvait la sexualité sous toutes ses formes, même celle des abeilles. La plupart des livres des meilleurs écrivains contemporains, laissés entre les mains de ces gens, finiraient en confettis ! *6*

Ces deux anecdotes illustrent bien les deux extrêmes de ce débat houleux. Elles soulignent aussi la nécessité de définir les termes. «Pornographie» est devenu un mot fourre-tout, comme «marxisme» et «féminisme», qu'on applique à n'importe quoi, autant à certains versets de la Bible qu'à des annonces de lotions pour la peau, ou des livres pour enfants sur la sexualité, *Penthouse*, les cartes postales grivoises de 1900 ou les films de torture et de meurtre dont le titre comporte le mot «nazi». On peut bien dire qu'une personne sensée peut faire la différence. Les opinions diffèrent malheureusement sur ce qu'est une personne sensée. *7*

De toute façon, même les gens sensés tendent à perdre leur sang-froid quand elles abordent ce sujet : elles se mettent à crier et à s'injurier. Les partisans de la censure (qui souvent s'opposent sur d'autres sujets, comme certaines féministes et certaines sectes) accusent les autres de défendre l'exploitation des femmes par le commerce d'images dégradantes, de corrompre les enfants et de contribuer au climat de violence et de peur dans lequel vivent femmes et enfants. Et bien qu'ils se balancent du sort de ces derniers, ils invoquent des principes moraux et l'aversion supposée de Dieu pour «l'indécence», «l'obscénité» et la «perversion», y compris sans doute la vue d'une cheville... *8*

Les partisans de la liberté d'expression totale pour leur part hurlent souvent comme des Romains à qui on aurait enlevé l'innocent plaisir de donner les Chrétiens aux lions. Eux aussi regroupent des gens qui ne font pas bon ménage naturellement : les défenseurs du droit sacré à la liberté (y compris celle de porter une arme à feu, de conduire en état d'ébriété, de baver de plaisir devant la pornographie, de s'exciter en regardant des vidéos de femmes battues et violées) se retrouvent sous la même bannière anti-censure que les libéraux responsables qui craignent le retour d'Anastasia, ou les associations d'homosexuels dont l'émancipation passe par l'exhibitionnisme. Fais ce qui te plaît est une devise commode. L'homme est maître chez lui (et s'il a un donjon avec de belles jeunes filles enchaînées et ensanglantées, c'est son affaire). *9*

Pendant ce temps, les théoriciens théorisent. La pornographie serait-elle un symptôme de la haine du corps, du clivage profond entre le spirituel et le corporel qui sous-tend la culture chrétienne occidentale? Est-ce une réaction d'hommes qui, se sentant menacés par des femmes à l'ère du féminisme, préfèrent les imaginer ficelées comme des paquets, hachées menu, agenouillées devant eux en adoration béate ou en train du sucer le canon d'un revolver ! Est-ce le signe de l'impuissance d'une génération d'hommes incapables d'avoir des rapports normaux avec de vraies femmes et qui préfèrent des poupées en plastique ou en papier? Est-ce le fruit d'un marketing habile et d'une publicité agressive imaginée par les promoteurs d'une industrie qui rapporte des milliards? *10*

Et si on faisait aussi des films où les acteurs se font embrocher les testicules sur des aiguilles à tricoter par des femmes arborant des croix gammées, auraient-ils autant de succès? Ou ce penchant est-il propre aux hommes? Et si oui, pourquoi? La pronographie assouvit-elle un désir de puissance ou un désir sexuel? Chez certains hommes, ces liens, ces chaînes, ces bâillons et autres articles du genre révèlent l'immense pouvoir de la sexualité féminine sur l'imagination mâle : on ne fait pas ça aux chiens, à moins d'en avoir peur. Les littéraires, eux, s'interrogent sur la mutation de la femme-fée ou de la femme fatale du 19e siècle, en Lolita lécheuse de sucette, en dinde stupide ou en vulgaire «viande», dans la pornographie d'aujourd'hui. *11*

Mais les amateurs de porno ne s'embarrassent guère de théories : seule la marchandise les intéresse. Les antiporno ne s'en font pas tellement non plus : la rue est sale? Qu'on la nettoie, et tout de suite ! *12*

Quant à moi, il me semble que la dialectique puritanisme/perversion ne mène nulle part, tant que nous considérons la porno comme du «divertissement». L'emballage – magazine, livre, film ou pièce de théâtre – nous induit en erreur. Nous nous plaisons à nous voir comme des adultes libres de choisir ce qui leur plaît dans l'«industrie du divertissement». À preuve, le débat soulevé par la présentation de films «érotiques» à la télé payante. Après tout, il ne s'agit que de s'amuser... Il n'y a que les pisse-vinaigre pour être contre... Car où est le mal? *13*

Voilà la question fondamentale : où est le mal? S'il n'y a pas de tort infligé à des personnes réelles, les antiporno peuvent toujours causer et déblatérer, ils ne peuvent alors exiger des contrôles ou des sanctions. Mais l'innocuité de la pornographie est loin d'être prouvée. *14*

Il y a des cas très nets où l'interdiction s'impose – comme l'a proposé le gouvernement fédéral –, les films, les photos et les vidéos de relations sexuelles entre enfants et adultes. Car on fait jouer de vrais enfants, ce que à peu près personne n'approuve. La possibilité de coercition est trop grande. *15*

J'aimerais poser le problème autrement et suggérer trois autres façons de considérer la pornographie – j'entends la pornographie violente. *16*

Ceux qui estiment que la censure du matériel pornographique est contraire, fasciste ou communiste, aux libertés démocratiques, devraient se rappeler que le Canada interdit la diffusion de matériel susceptible d'attiser la haine envers un groupe à cause de sa race ou de sa religion. Si elle mettait en scène des Noirs, des Chinois ou des catholiques plutôt que des femmes, la pornographie violente serait immédiatement interdite. Pourquoi la littérature haineuse est-elle illégale? Parce que le législateur estime qu'elle peut inciter à la pire violence. Le cerveau humain fonctionne comme un ordinateur : *garbage in, garbage out,* comme disent les spécialistes. Autrement dit, on n'y trouve que ce qu'on y met. Nous n'entendons parler que de cas extrêmes (comme celui de l'Américain Ted Bundy, auteur de plusieurs meurtres) où la pornographie a joué un rôle dans l'assassinat et la mutilation d'hommes et de femmes. Évidemment, la pornographie n'est pas le seul facteur dans la perpétration de ces actes pervers, mais elle donne sûrement des idées et pousse à croire que de telles actions sont socialement acceptées. Personne ne connaît encore l'effet de ce matériel sur des esprits moins malades. *17*

Les recherches montrent que la plupart des amateurs de pornographie *soft* ou *hard*, sont des jeunes gens de 16 à 21 ans. Autrefois, les garçons étaient initiés à la sexualité dans la rue, ou par d'avenantes prostituées (en Italie du moins, si l'on en croit les films de Fellini), ou encore dans les milieux plus bourgeois, par des jeunes filles, des parents ou l'école. Maintenant s'y ajoute la pornographie, et l'enseignement sexuel dans les écoles est dépassé. Les garçons apprennent maintenant que toutes les femmes désirent secrètement être violées et c'est en étripant une femme qu'un vrai homme s'excite. *18*

Les garçons tiennent leur sens de la virilité d'autres mâles : est-ce cela que la plupart des hommes désirent apprendre aux jeunes? Si l'idée se répand que les violeurs sont normaux et même admirables, les garçons penseront-ils qu'il faut violer pour être normal, viril et admirable? Les êtres humains sont extrêmement malléables; l'éducation qu'ils reçoivent de leurs maîtres et de la société où ils vivent compte pour beaucoup dans ce qu'ils deviennent. Dans une société où le viol est courant, excusé et même implicitement approuvé, plus de femmes se font violer. La chose devient socialement acceptable. Et à une époque où le rôle traditionnel des hommes est remis en question, où ils sont inquiets et cherchent partout des modèles (dans certains cas, ils trouvent à ce sujet peu de réconfort chez les femmes), le viol doit parfois être un fantasme agréable. *19*

Il serait naïf de considérer la pornographie violente comme une simple distraction. Elle est aussi une influence formatrice et un puissant outil de propagande. Qu'arrive-t-il lorsqu'un garçon formé à l'école de la pornographie rencontre une fille éduquée à celle des romans Harlequin? Le choc de leurs attentes contradictoires s'entend dans tout le quartier ! Elle désire le voir à ses pieds qui lui offre une bague; lui la désire à quatre pattes avec un anneau dans le nez. Ce mariage a-t-il quelque chance de succès? *20*

La pornographie a quelque chose en commun avec les substances qui créent une dépendance comme l'alcool et les drogues : chez certains, certainement pas tous, elle induit des changements chimiques dans l'organisme, qui créent une sensation agréable. Comme l'alcool et la drogue, il semble que la pornographie ait d'une part des consommateurs maniaques et de l'autre des consommateurs occasionnels qui ne souffrent pas de dépendance. Nombre d'hommes ne s'y intéressent guère, non pas que leur libido soit moins vigoureuse, mais parce que la vie réelle les satisfait pleinement et qu'ils n'ont pas autant besoin de stimulation que les autres. *21*

Chez les obsédés, la pornographie peut très bien avoir l'effet de l'alcool : la tolérance se développe et le besoin s'accroît. Cela expliquerait que les films pornographiques restent si peu de temps à l'affiche. Et non seulement la quantité doit-elle augmenter mais aussi la précision dans le détail. Cela pourrait expliquer l'escalade dans la violence. Il y a quelque temps, on s'excitait à la vue de seins; ensuite, ce furent les organes génitaux et, finalement, la copulation. Mais cela fut vite insuffisant. Les toqués voulurent davantage. Le nec plus ultra c'est la mort et, comme le marquis de Sade l'a démontré de façon si ennuyeuse, la mort à répétition. 22

L'alcoolisme ne nous a pas fait bannir l'alcool, mais nous avons des lois concernant la conduite en état d'ivresse, l'ébriété excessive, et tout abus pouvant provoquer des blessures ou la mort d'autrui. Cela nous ramène à la question initiale : où est le mal? Personne ne le sait mais notre société devra trouver une réponse avant que le point de saturation soit atteint. Des études effectuées en Scandinavie ont établi un lien entre la représentation visuelle de la violence sexuelle et l'augmentation des pulsions agressives chez les hommes. Plusieurs autres question restent sans réponses. Qu'est-ce qui distingue fondamentalement les consommateurs de porno des autres? Affecte-t-elle les relations entre hommes et femmes? Et, si tel est le cas, est-ce de façon négative? Existe-t-il une frontière nette entre érotisme et pornographie violente? Ou sont-ce les extrêmes d'un même continuum? S'agit-il d'une opposition hommes/femmes où tous les hommes approuvent secrètement la pornographie alors que toutes les femmes sont contre? (Je ne le crois pas : beaucoup d'hommes ne pensent pas que la meilleure façon d'occuper leurs samedis soirs est de passer leur bien-aimée au Cuisinart, et les films qui montrent ce genre de chose les écœurent autant qu'ils écœurent les femmes.) La pornographie est-elle l'expression de la confusion sexuelle de notre temps ou au contraire y contribue-t-elle activement? 23

Personne ne veut retourner à l'époque où les pattes de piano étaient des « membres » que la décence exigeait de couvrir. Nous ne voulons pas non plus vivre dans le *1984* de George Orwell où l'État lui-même produit la pornographie pour maintenir les prolétaires dans une sorte de torpeur, l'activité sexuelle étant par ailleurs considérée comme sale, répugnante et tolérée uniquement pour la reproduction. Mais la Rome impériale n'est pas un meilleur modèle. 24

Si les hommes et les femmes se respectaient mutuellement, si le sexe était considéré comme une manifestation de joie et de vie et non pas comme une fange germinative où l'on se vautre, si tout le monde était toujours amoureux, si, en d'autres mots, la vie des gens était plus satisfaisante, la pornographie disparaîtrait peut-être toute seule. Mais puisque, de toute évidence, cela n'est pas le cas, nous allons devoir, en tant que société, prendre les décisions qui s'imposent. 25

Margaret Atwood

La pornocratie

Margaret Atwood

A. Compréhension du texte

Sous-titre

1. Quelle connotation s'attache aux romans « Harlequin »?
2. Quelles sont les deux pistes de lecture indiquées par le sous-titre?

Paragraphe 1

3. Relevez deux idéologies avec lesquelles on associe souvent la pornographie.

Paragraphes 2 et 3

4. Quelles sont les deux définitions données de la pornographie?

Paragraphe 4

5. Quelle est la fonction de ce paragraphe?

Paragraphe 5

6. Comment ce paragraphe est-il relié au précédent?

Paragraphe 6

7. Donnez un substitut pour « la parution ».
8. Quelle autre définition donne-t-on parfois de la pornographie?
9. Quelle est l'attitude envers la femme qui s'exprime à travers un tel raisonnement?

Paragraphe 7

10. Ce paragraphe sert à résumer les idées avancées par l'auteur jusqu'à ce point. Relevez-les.

Paragraphe 8

11. Par quel terme désigne-t-on les gens qui se prononcent pour la censure?
12. Quelles sont les accusations que ces personnes lancent aux détracteurs de la censure?

Paragraphe 9

13. Qu'est-ce qui assure le lien entre ce paragraphe et celui qui précède?
14. Les partisans de la liberté d'expression regroupent «les défenseurs du droit à la liberté». Citez quelques-unes de ces libertés.
15. Quelle pourrait être la devise des partisans de la liberté d'expression?

Paragraphe 10

16. Quel est le mot clé de ce paragraphe?

Paragraphe 11

17. Quelles sont les grandes questions posées par l'auteur dans ce paragraphe?
18. Trouvez un substitut pour le verbe «satisfaire».

Paragraphe 12

19. Trouvez les termes désignant dans le texte :
    a. ceux qui sont pour la porno
    b. ceux qui s'opposent à la porno
20. Qu'est-ce que ces deux groupes ont en commun?

Paragraphe 13

21. À quoi s'oppose l'auteur? Relevez le mot clé.

Paragraphe 14

22. Montrez comment s'établit le lien entre ce paragraphe et le précédent.
23. Relevez le mot du texte qui veut dire le contraire de «tort infligé».

Paragraphe 15

24. Trouvez le mot qui résume le contenu de ce paragraphe.

Paragraphe 16

25. Quel rôle ce paragraphe joue-t-il dans le contexte global de l'article?

Paragraphe 17

26. Dans quelle catégorie le matériel pornographie est-il placé?
27. Relevez les phrases du texte qui expliquent ce que l'auteur entend par «garbage in, garbage out».

Paragraphe 18

28. Quelle influence la pornographie exerce-t-elle sur les jeunes de 16 à 21 ans?

Paragraphe 19

29. Trouvez une autre phrase du même paragraphe qui reprend l'idée

suivante :
« Les garçons tiennnet leur sens de la virilité d'autres mâles. »

Paragraphe 20

30. Relevez l'adjectif qui assure le lien entre ce paragraphe et le précédent.
31. Quel mot du texte décrit la rencontre entre un garçon formé à l'école de la pornographie et une fille éduquée à celle des romans Harlequin?

Paragraphe 21

32. À quoi pourrait-on comparer la pornographie?
33. Relevez les deux termes ou locutions qui servent à introduire une comparaison.

Paragraphe 22

34. Comment ce paragraphe reprend-il, pour le développer, un thème déjà annoncé dans le paragraphe précédent?
35. Dans quel sens la pornographie peut-elle avoir le même effet que l'alcool?

Paragraphe 23

36. La pornographie a suscité beaucoup de questions. A-t-on trouvé une réponse définitive à ces questions?

Paragraphe 24

37. Pourquoi Margaret Atwood a-t-elle choisi de s'exprimer par des phrases négatives?

Paragraphe 25

38. Selon l'auteur, dans quelles conditions la pornographie disparaîtrait-elle?
39. Ces conditions seront-elles jamais satisfaites? Selon Atwood, quelle est la seule solution possible?

B. Analyse sociolinguistique

1. Qui écrit?
2. Qu'est-ce qui l'a incitée à écrire l'article?
3. Pourquoi a-t-elle rédigé ce texte?
4. Quelles sont les marques de cette fonction dans le texte?

C. Étude de langue

I.

Remplacez les tirets par l'expression qui convient, choisie dans la liste ci-dessous. Faites tous les changements nécessaires.

contrarier
corporel
censure
faire bon ménage
violer
induire en erreur
un divertissement
en Saskatchewan
le commerce d'images dégradantes
malléable
sensé

1. C'est ______________ qu'il faut aller pour voir les plaines canadiennes.
2. Ce film a été ______________ parce qu'il contient une scène où une enfant est ______________ .
3. De peur de vous ______________ je vous accompagnerai, bien que je n'aie pas trop envie d'aller à ce concert.
4. Nous cherchons à meubler nos heures de loisir avec des ______________ .
5. Si c'est le mime qui vous intéresse, inscrivez-vous aux cours d'expression ______________ .
6. Une personne ______________ n'aurait pas tiré à tous les azimuts dans la foule.
7. Les sex-shops se spécialisent dans ______________ .
8. Connaissez-vous une ville où l'architecture moderne ______________ avec les vieilles bâtisses en pierre?
9. Quand vous m'avez dit que la consultation était gratuite, vous m'avez ______________ car on m'a demandé de payer vingt dollars à la fin de la séance.
10. À cinq ans les enfants ont encore le caractère trop ______________ pour être confiés à n'importe quel instituteur.

II.

Donnez l'équivalent français des locutions suivantes :

a. *Bodily Harm* (Margaret Atwood) ______________
b. a radio hot-line ______________
c. the Ontario Censure Board ______________
d. the two sides of the same coin ______________
e. that's my business ______________
f. to loose one's cool ______________

g. pay T.V. ________________
h. to wallow in filth ________________
i. drunk driving ________________
j. a catch-all ________________
k. a party-pooper ________________
l. garbage in, garbage out ________________
m. the highest possible form, the height of ________________

III.

Donnez le substantif qui correspond à chacun des verbes suivants :

1. interdire ________________
2. paraître ________________
3. inciter ________________
4. participer ________________
5. représenter ________________
6. annoncer ________________
7. exploiter ________________
8. corrompre ________________
9. défendre ________________
10. exprimer ________________
11. divertir ________________
12. diffuser ________________
13. assassiner ________________
14. violer ________________

IV.

i) Mettez le paragraphe suivant en anglais.
«Personne ne veut retourner à l'époque où les pattes de piano...», jusqu'à la fin du texte.

ii) Mettez les phrases suivantes en anglais en soignant particulièrement la traduction des mots soulignés :
a. le point de saturation est *atteint* ________________
b. des études *effectuées* ________________
c. la discussion *portait* sur ________________

V.

Les trois mots suivants se traduisent en anglais par «ring».

un anneau   une alliance   une bague

Expliquez dans quel contexte chacun s'emploie.

VI.

L'image ou la construction du texte. Dégagez les principales articulations de cet article comme dans le modèle.

---

définition de la pornographie

---

a. selon Margaret Atwood
b. selon le journaliste
c. selon les deux Scandinaves

---

distinction entre la pornographie et l'érotisme

---

nécessité de définir ce que nous entendons par la pornographie

---

---

les arguments pour et contre la censure

---

a. arguments des partisans de la censure
b. arguments des partisans de la liberté d'expression

---

théories psychologiques ou sociologiques qui expliquent pourquoi la pornographie est si répandue.

...à vous de continuer!

VII.

Exercices de rédaction

1. Le vidéo a-t-il rendu le matériel pornographique plus facilement accessible aux gens?
2. Quelle distinction faites-vous entre l'érotisme et la pornographie?
3. Vous vous rangez sous la bannière anti-censure. Rédigez une résponse aux solutions proposées par Margaret Atwood.
4. La pornographie est-elle aussi répandue dans les pays où la prostitution est légale (la France, la Hollande, les pays Scandinaves)?
5. Que montrent les recherches? Y a-t-il un lien direct entre la pornographie et le viol?
6. Voyez-vous la nécessité d'imposer *des contrôles* sur la pornographie? Après tout, c'est une question de *moralité*. Il ne s'agit pas d'un crime.
7. Comment définissez-vous la pornographie? Y a-t-il un consensus? Comment la contrôler si on n'arrive même pas à la définir?

8. La censure est une arme à double tranchant. Commentez.
9. On présente souvent la pornographie comme un mal social. Faudrait-il la mettre dans le même sac que d'autres «crimes» sociaux, tels que l'alcoolisme, l'homosexualité, la prostitution, les camps de nudistes, les sectes religieuses, pour lesquels la question de censure a déjà été soulevée?

Vivre avec les Hommes

Quand j'avais 18 ans, rien n'était plus infamant, pour une fille, que d'être seule le samedi soir, seule c'est-à-dire sans avoir reçu d'invitation d'un garçon. Rien n'était plus humiliant que d'en être réduite à passer la soirée du samedi avec une amie. N'importe quel garçon, le plus moche, le moins intéressant, valait encore mieux que la plus intelligente et la plus amusante de vos amies... *1*

Pour moi comme pour bien d'autres femmes de ma génération, une des dimensions les plus agréables et libératrices du féminisme, ce fut d'échapper à ce terrorisme de «l'homme à tout prix» dont la seule présence vous valorisait, comme si, seule ou avec d'autres femmes, vous n'étiez jamais une personne complète. Aujourd'hui, les femmes passent leur samedi soir comme elles en ont envie et pas nécessairement avec un homme : au cinéma ou au restaurant avec des amies (le vendredi et le samedi, les restaurants du centre-ville sont remplis de femmes), ou alors bien calée dans leur fauteuil avec des magazines, sans avoir l'impression d'être sur le carreau. *2*

En l'absence temporaire ou permanente d'un homme aimé dans sa vie, une femme ne se sent plus dévalorisée comme c'était le cas auparavant, et elle préfèrera partager ses loisirs avec une amie ou des amies qu'avec un homme qui ne l'intéresse guère. Celles que, par contre, vivent avec un homme tiendront à se garder du temps libre pour leurs amies. Comportement sain et équilibré, qui s'apparente d'ailleurs à celui des hommes, qui ne se sentent pas dévalorisés durant les périodes où ils ne sont pas amoureux, et qui se sont toujours réservé, parallèlement à leur vie amoureuse ou conjugale, de larges espaces pour l'amitié et le compagnonnage entre hommes. *3*

En peu d'années, les femmes ont été obligées de faire un tel cheminement qu'elles sont devenues des êtres plus complexes et plus innovateurs que les hommes. Ce cheminement est d'autant plus fructueux qu'il s'est toujours déroulé sur un mode concret et quotidien : la démarche féministe ne s'effectue pas d'abord sur le mode intellectuel, elle se nourrit d'expériences personnelles. En outre, elles ont accumulé, à cause de leur double expérience au foyer et au travail, un éventail considérable de connaissances. Avec une femme, on peut parler de toutes sortes de choses : de choses abstraites et de choses concrètes, de choses qui se discutent sur le mode cérébral et de choses qui s'abordent sur le mode sensoriel ou émotionnel. On peut parler de politique, des enfants, des écoles, de cuisine, de musique, de santé, des élections, de délinquance, du temps qu'il fait, du boulot, des patrons, des collègues, de théâtre ou de roman, de l'amour et des sentiments, etc... *4*

Aucun domaine n'échappe aux remises en question suscitées par le féminisme : ni l'industrie des produits domestiques, qui repose sur l'enfermement de la femme, ni celle des cosmétiques, de la mode et de la publicité, qui repose sur l'idéal terrifiant de la jeunesse-beauté-minceur... Idéal terrifiant s'il en est car la plupart des femmes ne sont ni assez belles ni assez minces pour s'y conformer et la jeunesse est un état temporaire. Ni le système scolaire, qui véhicule la plupart des conditionnements, ni la médecine, ni le droit, ni la psychanalyse – qui a reçu, par le féminisme, un flot énorme d'information sur ce «continent noir» des femmes que Freud et ses successeurs n'avaient pas été capables d'explorer. 5

L'industrie des mass media a vu naître, toujours dans la foulée du mouvement féministe, une foule de publications axées sur les nouveaux intérêts des femmes en même temps qu'une nouvelle sorte de publicité non sexiste, où l'on représente la femme au travail, en voyage, en situation d'autorité. Dans le monde dè la recherche, l'idéologie féministe a fait partout sa marque, en suscitant la création de centres d'études axés sur les femmes (comme l'Institut Simone de Beauvoir de l'Université Concordia) ou l'inclusion de l'approche féministe dans les cours, les travaux, la réflexion. Une discipline comme la criminologie, par exemple, s'est transformée sous l'effet de la réflexion féministe : alors que les travaux des dernières décennies portaient surtout sour le criminel, le délinquant – dont la criminologie progressiste voulait protéger les droits – on commence maintenant à s'intéresser également aux victimes. C'est la réflexion sur le viol qui a déclenché cette révision. 6

C'est le mouvement des femmes plus que n'importe quel autre type d'action que est à l'origine d'initiatives comme les horaires flexibles, la redéfinition du temps de travail, la notion de l'éducation permanente, l'exploration de nouveaux modes de gestion fondés sur la collégialité davantage que sur l'autorité imposée, etc. 7

Il y a maintenant des femmes astronautes. En minorité bien sûr. Mais le simple fait qu'il y en ait une, deux ou trois dont la photo paraît partout va donner à des milliers de petites filles le désir de devenir astronaute, ou à défaut, pilote ou chauffeur d'autobus... Au sujet des chauffeurs d'autobus : j'ai assisté, lors des grèves du service de transport en commun montréalais au plus froid de l'hiver 1982, à une assemblée des chauffeurs de la CTCUM... 2 000 hommes dans un climat survolté. Il y avait parmi eux une infime minorité de femmes – moins de 10 je crois. Durant la discussion où le mouvement de grève l'emportait de toute évidence, l'une d'elles s'est avancée au micro et, sous les huées, a déclaré qu'elle était contre parce que c'était inhumain pour les citoyens et surtout pour les plus vulnérables d'entre eux. Elle était, cette femme, si minoritaire – deux fois minoritaire – et en même temps si forte, car peu d'orateurs osaient aller à contre-courant du mouvement général, que c'est à peu près la seule image de cette assemblée que j'ai gardée en tête. 8

À l'inverse, poussés par la nécessité économique, bien des jeunes entrent maintenant dans les ghettos féminins. On entend de plus en plus souvent une voix masculine sur les lignes du Bell. Il y aura sans doute bientôt des hommes dans les emplois de secrétaires. Il y a déjà des hommes dans les emplois d'infirmières... 9

Dès le moment où les hommes commencent à pénétrer un ghetto d'emploi féminin, on peut prévoir que les conditions de travail s'y amélioreront. A l'inverse, en pénétrant les ghettos masculins, les femmes ont plus de chances de bénéficier de la parité salariale. Le danger réside dans la formation de nouveaux ghettos féminins : ainsi en URSS, la médecine est devenue une profession très majoritairement féminine et le statut social des medecins a décru dans la même proportion, tant le travail des femmes reste dévalué quel que soit le domaine où il s'exerce. L'idéal en somme serait que dans chaque corps d'emploi il y ait et des hommes et des femmes. 10

L'autre avantage de l'éclatement des ghettos d'emploi, c'est de permettre à chaque individu d'avoir accès à un éventail plus large d'emplois susceptibles de convenir à sa personnalité et à ses aptitudes. 11

Beaucoup d'hommes pourraient avoir envie d'être secrétaire ou de soigner les malades si ces fonctions étaient considérées aussi «masculines» que «Féminines» et si elles étaient aussi bien payées que des métiers «masculins» équivalents. Et à l'inverse, beaucoup de femmes s'épanouiraient bien davantage au travail si elles avaient pu choisir d'autres types d'emploi. Tout cela, c'est une question de disposition naturelle et individuelle : personnellement, je préfèrerais de beaucoup être secrétaire plutôt qu'électricienne ou chirurgienne, mais cela tient non pas au fait que je suis une femme mais à mes goûts et à mon tempérament. 12

Peut-être cet aspect de l'idéologie féministe a-t-il été mal compris faute d'explications. Je suis toujours consternée lorsque je rencontre des femmes qui semblent avoir honte d'exercer des métiers traditionnellement féminins. Ce sont au contraire de très beaux métiers. Ce qui à mon sens a été mal compris, c'est que ces métiers féminins, loin d'être dévalués, doivent au contraire être revalorisés, et bénéficier de meilleures conditions de travail en même temps que d'un statut social correspondant à leur importance objective. 13

Le féminisme est une idéologie, avec ses grilles d'analyse, ses axes de recherche, ses courants, ses tendances. Le féminisme est un mouvement, avec son avant-garde, son aile droite, son aile gauche et ses révisionnistes. 14

Mais il ne faut pas voir le féminisme seulement sous l'angle organisationnel et collectif. 15

En 10 ans seulement, le mouvement des femmes a débordé largement des cadres des organisations et des groupes constitués. Chaque femme a fait, pour elle-même, son propre cheminement. Sans éclat, mine de rien, sous l'impulsion de l'idéologie féministe, les femmes ont remis leurs choix en question, et ce faisant ont découvert la solidarité. 16

L'amitié entre femmes n'est pas une chose nouvelle. J'ai même l'impression que l'amitié entre femmes a toujours été plus facile et plus spontanée que l'amitié entre hommes, dans la mesure où elles abordent plus sereinement le domaine des émotions. Une femme se confiera facilement à une autre femme. Un homme, pour se confier à quiconque et même à son meilleur copain, aura souvent besoin d'un peu d'alcool, pour relâcher ses réflexes d'autodéfense. (D'où l'utilité de la taverne !) *17*

Il est vrai que les femmes avaient été entraînées à se méfier les unes des autres : dans une vie tout axée sur l'homme, l'homme à conquérir et à garder, elles étaient toutes rivales... *18*

La solidarité est un vain mot si elle reste dans le domaine abstrait de l'idéologie et ne s'incarne pas dans des rapports chaleureux et amicaux. La nouvelle amitié des femmes entre elles est l'un des fruits les plus doux du mouvement féministe... Sans doute est-ce une des choses que les hommes d'aujourd'hui envient aux femmes, que cette possibilité de réfléchir entre elles. J'ai été frappée ces derniers temps par le nombre d'hommes, rencontrés dans le cours de mon travail, qui semblaient éprouver un impérieux besoin de parler d'eux-mêmes, de leurs rapports avec les femmes et les enfants, du changement qui s'était produit en eux sous l'influence du mouvement des femmes, etc. *19*

Je n'ai jamais envié les hommes. Petite fille, je n'étais pas attirée par leurs jeux, et je me félicitais de n'être pas obligée d'aller me faire massacrer sur leurs patinoires et leurs terrains de football. Je les envie encore moins aujourd'hui, eux qui doivent sans cesse faire la preuve de leur virilité ou qui du moins s'y croient tenus, qui s'interdisent toute défaillance même la plus normale et la plus compréhensible, eux qui sont, comme tout être humain, envahis par les sentiments et les émotions à divers stades de leur vie mais qui s'interdisent de les exprimer – qui hésitent même à s'en parler entre amis – parce qu'« un vrai homme ne fait pas ça ». Ainsi un vrai homme ne pleure pas. Ils pleurent pourtant, dans la réalité, dans la vraie vie. Ils s'en défendent parce que « ça ne se fait pas » et résistent jusqu'au dernier moment mais parfois le barrage cède et ils pleurent. *20*

Je connais beaucoup d'hommes qui ont réussi à se dégager des fausses images et qui peuvent donner libre cours à leurs sentiments. Ce sont soit des hommes jeunes, dont le conditionnement a été moins profond, soit des hommes de ma génération qui, avec la confiance en soi que donne la maturité, ont compis qu'un homme pouvait être aimé sans être le héros qui porte le monde entier sur ses épaules, soit même des hommes plus âgés, chez qui un événement, une rencontre, une expérience ayant l'effet d'un choc, a suffi pour que s'ouvrent les vannes et que tombent les plus anciens barrages. Dans presque tous les cas, c'est avec une femme ou grâce à une femme qu'ils ont changé. Je rencontre très souvent des hommes qui parlent de leur vie privée et racontent comment, poussés par leur femme, ils ont accepté, rarement sans heurts, mais tout compte fait pour le mieux, de transkormer leurs rapports affectifs, l'organisation familiale, leur propre vision d'eux-mêmes. 21

Comme tous les mouvements politiques, le féminisme a une aile modérée et une aile radicale. Les modérées et les radicales sont d'accord sur le fait que les femmes sont – ont toujours été – victimes d'injustices et de discrimination. Mais leurs analyses, leurs stratégies et leurs discours diffèrent à plus d'un égard. 22

La tendance modérée – qui est, on l'aura compris, celle dans laquelle je m'inscris – dit que la source première des inégalités se trouve dans la division des rôles et des tâches, et qu'en ouvrant le foyer aux hommes et le marché du travail aux femmes, ces dernières retrouveront leur dignité et leur autonomie. Cette démarche englobe les hommes et privilégie des objectifs comme le partage des tâches au foyer, l'éclatement des ghettos du travail et l'accès des femmes à des postes-clés. 23

La tendance radicale repose sur une analyse qui est peut-être plus poussée et qui est d'ailleurs intellectuellement fort valable – mais qui, à mon sens, débouche en pratique sur un cul-de-sac et c'est pourquoi je n'y souscris pas entièrement, tout en y puisant cependant matière à réflexion : cette analyse repose sur le concept de «l'oppression». 24

S'inspirant de la grille marxiste et des idéologies de la décolonisation, le féminisme radical voit le rapport homme-femme comme un rapport de dominant à dominée. Les féministes marxistes verront cette oppression comme la base de toutes les autres exploitations dont souffrent également les hommes. Les féministes «culturelles» iront plus loin ou plus précisément iront ailleurs, dans un univers non politique, lyrique, d'où disparaît toute présence masculine. Par un curieux détour, elles se rapprocheront de l'idéologie traditionnelle qui exaltait les stéréotypes de la «féminité». Elles attribueront aux femmes des caractéristiques spécifiques, naturelles, exalteront la «féminitude» et la supériorité de la femme, voueront un culte à l'image mythique de la déesse-mère, et feront de la sororité la solidarité essentielle, voire exclusive, prioritaire en tout cas. 25

Qu'il y ait du sectarisme, au sein d'un mouvement nouveau, et qui, parce qu'il chambarde l'ordre établi, s'est toujours trouvé de toutes parts férocement attaqué et impitoyablement ridiculisé, il n'y a rien là qui soit étonnant. C'est le propre des groupes minoritaires que de développer une mentalité d'assiégés. 26

Les féministes lesbiennes ont souvent été plus radicales et plus militantes que les autres, et donc souvent à l'avant-scène. Toutes les féministes radicales ne sont pas des lesbiennes, loin de là, et toutes les lesbiennes ne sont pas des féministes radicales, et sans doute y a-t-il des lesbiennes qui ne sont pas féministes. Mais la présence de cette minorité militante au sein du mouvement est un fait qu'il faut prendre en considération, non pas pour le stigmatiser, mais pour expliquer tant l'évolution du mouvement féministe que les malaises ressentis par bien des féministes qui font partie de la majorité hétérosexuelle. *27*

Il n'y a rien d'étonnant à ce que les féministes lesbiennes aient été plus disponibles à toute forme d'engagement féministe. Une femme vivant avec un homme réservera une partie de ses soirées, de ses week-ends, à son compagnon. Ce dernier, même s'il approuve les convictions de sa femme, ne la suivra pas dans les réunions ou les activités féministes. Si en plus cette femme a de jeunes enfants, et qu'elle travaille à l'extérieur, tout engagement féministe soutenu, au sein d'un groupe quelconque, représentera alors pour elle l'équivalent d'une troisième tâche. *28*

Les féministes lesbiennes au contraire partagent leur vie avec des femmes ayant vraisemblablement les mêmes convictions, et leur vie privée peut beaucoup mieux s'harmoniser avec l'activité politique... *29*

Elles ont également moins de contradictions idéologiques à résoudre et peuvent avoir une vision bien plus radicale, moins complexe et moins nuancée, puis qu'elles ne sont pas liées aux hommes par un rapport amoureux. *30*

Elles sont enfin relativement pauvres – bien plus pauvres que les «gais» masculins qui ont, eux, «deux salaires d'hommes» et qui sont souvent plus riches que la moyenne des couples. Deux «salaires de femmes», sauf exception, cela représente moins d'argent qu'un «salaire d'homme» s'ajoutant à un «salaire de femme». Privées du support et de la protection masculine, elles sont aussi bien plus à l'écart du pouvoir établi que les autres femmes, qui peuvent bénéficier de ses retombées par l'intermédiaire du mari ou de l'amant. *31*

Autant de facteurs qui feront des lesbiennes des féministes non seulement plus disponibles et plus militantes, mais également politiquement plus radicales. *32*

Le phénomène n'a rien d'anormal mais il faut le signaler pour expliquer pourquoi beaucoup de femmes se sentent mal à l'aise dans les lieux d'expression et de rencontre qui ne correspondent plus à ce qu'elles sont, ni à cette part essentielle de leur vie qui est le rapport amoureux avec l'homme. L'approche féministe varie selon la nature des rapports qu'on a avec les hommes, et l'amour (qui englobe la sexualité mais ne s'y réduit pas) est un élément trop fondamental de la vie pour qu'on puisse le déposer comme un sac d'épicerie à l'entrée d'une salle de réunion pour le reprendre ensuite à la sortie... *33*

Il m'apparaît évident qu'une démarche féministe incapable d'intégrer l'amour hommes-femmes, cette dimension capitale de la vie de 85 ou 90 p. cent des femmes, est vouée à la marginalisation. *34*

On a parfois l'impression que l'action féministe a tendance à privilégier des thèmes d'ordre culturel se rapportant directement au corps et ayant une connotation sexuelle caractérisée – porno, viol, harcèlement sexuel, etc. Ce sont des thèmes qui captivent une bonne partie des jeunes féministes et qui, parce qu'ils sont plus spectaculaires sous certains aspects, sont davantage mis en relief dans les mass media. Ainsi la lutte féministe la plus visible de l'année 82 a-t-elle été celle qui revendiquait des mesures de censure à la télévision et au cinéma, à la faveur de l'implantation de la télévision payante et de la révision de notre loi du cinéma. Les grosses manifestations féministes des dernières années ont également porté sur des thèmes analogues tous reliés à la violence masculine, le viol par exemple. En outre, une très grande partie de la littérature et des recherches féministes s'inscrivent dans ce même courant. *35*

En elles-mêmes, ces luttes sont toutes non seulement légitimes mais nécessaires : la porno est une réalité, il y a des femmes battues, il y a des femmes violées. Il faut continuer à réclamer plus de structures d'accueil pour les femmes et les enfants victimes de violence, et continuer à combattre la porno à la source. (C'est-à-dire par l'éducation plutôt que par la censure. Sur ce point, je diverge d'opinion avec une partie des féministes. Je m'explique fort mal que tant de féministes semblent prêtes, au nom d'une lutte à court terme contre le sexisme, à rétablir un système de censure idéologique dont elles risquent pourtant, une fois l'engrenage des interdictions amorcé, de devenir les premières victimes). *36*

Luttes légitimes donc, et nécessaires. Mais pourquoi tant de féministes semblent-elles portées à donner la priorité à des réalités qui, aussi odieuse soient-elles, restent relativement secondaires par rapport aux problèmes réels qu'affrontent les femmes dans leur vie quotidienne? La majorité des femmes (comme d'ailleurs une bonne partie des hommes) n'a jamais été en contact avec la porno. Si, selon une statistique courante, une femme sur dix est battue par son conjoint, il est tout aussi vrai de dire que neuf femmes sur 10 ne le sont pas. Et si le viol est un risque que court toute femme, indépendamment de son âge et de son comportement, le viol est loin d'être une réalité aussi présente dans la vie quotidienne que la maternité, le travail, l'insécurité financière ou la dépendance économique. *37*

Je me demande si cette insistance que mettent plusieurs féministes à axer l'essentiel de leur discours et de leur action sur des thèmes reliés à la violence et à la porno n'est pas déjà en train d'éloigner du féminisme nombre de femmes qui ne retrouvent pas dans ces images la plupart des hommes qu'elles connaissent et encore moins ceux avec lesquels elles vivent. *38*

Je me demande si cette orientation, minoritaire mais très visible du mouvement féministe, ne risque pas de le marginaliser, et d'engendrer une réaction de durcissement aveugle chez des hommes qui, autrement, se seraient contentés de résister passivement à la montée du mouvement féministe, mais qui, provoqués de front, réagiront non pas par l'apathie mais par la contre-attaque... ce qui risque d'engendrer encore plus de violence à l'endroit des femmes. Or, cette violence-là, ce ne sont pas les intellectuelles ni les «définisseuses de situation» qui en seront les premières victimes, ce sont les femmes dans les usines ou dans le fin fond des chambres à coucher et des cuisines, dans ces lieux clos d'où même les voisins ne peuvent les entendre. *39*

Je me demande enfin si cette tendance privilégiant la lutte contre la violence au détriment des autres champs d'action n'aurait pas pour effet de développer chez les petites filles et les adolescentes une peur démesurée des hommes en général, et d'en faire, au lieu des femmes audacieuses, dynamiques et généreuses dont nous avions rêvé, de petits êtres affolés par la nuit, oscillant entre le désir de s'enfermer chez soi et celui d'acquérir, pour se défendre, une formation paramilitaire. Car enfin, si, comme le veut une thèse répandue, le violeur est un homme «normal», ordinaire, si tout homme est un violeur en puissance, dont les pulsions peuvent être plus ou moins développées mais restent toujours latentes, alors c'est tout l'univers masculin, et tous les hommes sans exception, qui sont potentiellement dangereux. Dit-on que tous les hommes sont des voleurs de banque en puissance parce qu'il y en a plusieurs qui ont volé des banques? *40*

Le discours radical est utile même si on n'y souscrit pas parce qu'à plusieurs égards il fait avancer la recherche et stimule la réflexion, et qu'il empêche les femmes de retomber ou de se complaire dans leurs vieilles sécurités, mais il ne peut tenir lieu de discours commun à l'ensemble des féministes pour la simple et fondamentale raison que la majorité des féministes sont des femmes qui aiment les hommes et veulent vivre avec eux. *41*

Le sexisme en milieu de travail vient largement du fait qu'ils connaissent fort peu les femmes. Bien sûr, ils les désirent, les épousent, leur font des enfants, mais on peut vivre avec une femme toute une vie sans la connaître – l'inverse étant vrai, à cette différence près que les femmes sont mieux entraînées que les hommes à déceler, chez les autres, les sentiments cachés. En outre, à cause justement de cette image unique de la femme enfermée dans un rôle sexuel et maternel, les hommes ont souvent du mal à voir les femmes comme de simples camarades de travail. *42*

Ces dernières, au contraire, ont toujours été confrontées au cours de leur éducation, avec des images d'hommes-au-travail inscrits dans diverses fonctions sociales n'ayant rien à voir avec une activité sexuée. Un homme peut être comptable, médecin, chauffeur de taxi, et n'être que cela aux yeux d'une femme. Mais aux yeux d'un homme, il y aura toujours une femme – possiblement désirable ou alors non désirable mais encore là il s'agit d'un jugement d'ordre sexuel derrière la femme-comptable, la femme-médecin, ou la femme qui est au volant d'un taxi.

Elle sera classée du premier coup selon qu'elle est ou non « baisable » (comme « ils » disent). 43

Les hommes peuvent adhérer à bien des thèmes féministes dans la mesure où ils ont le sentiment d'y gagner quelque chose en échange de la perte de leurs anciens privilèges – ainsi la redécouverte de la paternité, source de bonheur dont les a privé le monopole de la femme sur le foyer. Mais, à moins d'avoir une capacité d'abstraction extraordinaire, un homme ne pourra adhérer à un discours féministe axé sur l'image de l'homme-oppresseur et de l'agresseur potentiel. Confrontés à un discours qui les nie en tant qu'individus et jusque dans leur propre sexualité, et qui dévalorise le rapport amoureux homme-femme, les hommes n'auront aucun intérêt à transformer leurs attitudes et seront plutôt portés à se raidir et à se fermer complètement à l'ensemble du discours féministe. Est-ce cela qu'on veut? Pas moi. Les changements, je veux les voir de mon vivant. 44

Lysiane Gagnon

Vivre avec les hommes

Extraits du livre de Lysiane Gagnon

A. Compréhension du texte

Paragraphe 1

1. Quels sont les deux sens que l'auteur donne à l'adjectif « seule »?
2. Quel est le jugement de valeur exprimé à la fin de ce paragraphe?
3. Montrez comment l'auteur met en valeur le côté contradictoire de ce jugement.

Paragraphe 2

4. Soulignez la phrase qui reprend l'idée principale du paragraphe précédent.
5. Quelle est la définition que l'auteur donne du féminisme?
6. Montrez comment ce deuxième paragraphe constitue la suite logique du premier.

Paragraphe 3

7. Quel est le contraire de « valorisé »?

8. Expliquez comment le féminisme a en quelque sorte servi à « légitimiser » l'amitié entre les femmes.

Paragraphe 4

9. Dans ce paragraphe il est question du contact qui s'établit entre les femmes. Qu'est-ce qu'elles ont en commun?
10. Par quels termes est-ce que l'auteur reprend l'idée de l'évolution centrale au paragraphe 3?
11. L'auteur établit un contraste entre deux façons de voir le monde : un mode concret et quotidien et un mode ________________ . Trouvez d'autres termes et locutions dans ce paragraphe qui reprennent ces deux notions.
12. Quelle est, selon vous, la fonction de la dernière phrase de ce paragraphe?

Paragraphe 5

13. Quels sont les domaines d'activité du mouvement féministe?
14. « S'y conformer ». À quoi le « y » renvoie-t-il?
15. Dans ce paragraphe l'auteur a recours plusieurs fois à l'expression négative « ne... ni... ni... ». Pourquoi tant de négations?

Paragraphe 6

16. Dans quels domaines voit-on déjà des changements d'attitude provoqués par le mouvement féministe?

Paragraphe 7

17. Quel est le mot clé de ce paragraphe? Quels en sont les exemples donnés dans le texte?

Paragraphe 8

18. Dans ce paragraphe Lysiane Gagnon parle d'une *minorité* de femmes. Pourquoi est-ce qu'elle attache une grande importance à cette minorité?
19. Combien de fois le mot clé « minorité » revient-il dans ce paragraphe?

Paragraphe 9

20. Quel est le mot qui assure le lien avec le paragraphe précédent?
21. S'agit-il toujours de *femmes* dans les ghettos féminins?

Paragraphe 10

22. Comment ce paragraphe se rattache-t-il à ceux qui précèdent?
23. Comment pourraient se former de nouveaux ghettos féminins?

Paragraphe 12

24. Résumez *en une phrase* le contenu de ce paragraphe.

25. Trouvez deux autres termes qui reprennent la notion de «disposition naturelle».

Paragraphe 13

26. Quel aspect de l'idéologie féministe a été mal compris?

Paragraphe 14

27. Lysiane Gagnon définit le féminisme comme étant une *idéologie* et un *mouvement*. Relevez les mots qui renvoient à chacun de ces deux termes.

Paragraphe 16

28. L'auteur donne au terme «féminisme» un sens plus large. Au fond, qu'est-ce que le féminisme signifie pour elle? Soulignez la phrase du paragraphe qui répond à cette question.

Paragraphe 17

29. Qu'est-ce qui assure le lien entre les paragraphes 16 et 17?
30. Quel est le mot clé de ce paragraphe?

Paragraphe 18

31. Comment l'éducation a-t-elle formé les femmes?

Paragraphe 19

32. Qu'est-ce que la «solidarité» signifie pour l'auteur? Soulignez les mots clé.
33. Les hommes, eux aussi, ont subi l'influence du mouvement féministe. Dans quel sens?

Paragraphe 20

34. Résumez en une phrase le contenu de ce paragraphe.
35. Quelle est la valeur des guillemets :
    «un vrai homme ne fait pas ça»
    «ça ne se fait pas»?

Paragraphe 21

36. Soulignez la phrase qui résume le contenu de ce paragraphe.

Paragraphe 22

37. Ce paragraphe marque le début d'un nouveau développement. Quel est le sujet de ce développement? Relevez les mots clé.

Paragraphes 23, 24

38. Quels sont les articulateurs rhétoriques qui montrent la progression du texte?

39. Quels sont les objectifs de cette tendance modérée?

Paragraphe 24

40. Sur quel concept repose l'analyse de la tendance radicale?

Paragraphe 25

41. Dans quelle perspective le féminisme radical voit-il le rapport hommes-femmes?
42. Quels sont les dangers que comporte le féminisme radical?

Paragraphe 27

43. De quelles féministes radicales est-il question dans ce paragraphe?
44. Ce groupe constitue-t-il une minorité ou une majorité?

Paragraphes 28, 29, 30, 31, 32

45. À quelle question ces paragraphes répondent-ils?

Paragraphe 34

46. Comment Lysiane Gagnon explique-t-elle la marginalisation du mouvement féministe?

Paragraphe 35

47. Quels sont les domaines privilégiés de la lutte féministe?
48. Comment tous ces thèmes se relient-ils entre eux?

Paragraphe 36

49. Sur quels points l'auteur de l'article est-elle d'accord avec les féministes radicales? Sur quel point diverge-t-elle d'opinion?

Paragraphe 37

50. Quel est l'articulateur rhétorique qui assure le lien avec le paragraphe précédent?
51. Faites la liste de ce que l'auteur considère comme étant les problèmes réels des femmes dans la vie courante.

Paragraphes 38, 39, 40

52. Par quelle formule Lysiane Gagnon commence-t-elle chacun de ces paragraphes?

Paragraphe 39

53. Trouvez un synonyme du verbe «éloigner».
54. Quelles seraient les premières victimes de la nouvelle violence dont l'auteur parle dans ce paragraphe?

Paragraphe 40

55. Que craint-elle surtout de cette tendance du mouvement féministe?

Paragraphe 41

56. Le ton de ce paragraphe est-il le même que celui des paragraphes précédents?

Paragraphe 42

57. Comment s'explique le sexisme?

Paragraphe 43

58. Comment ce paragraphe se relie-t-il au précédent?
59. Comment l'éducation a-t-elle formé les femmes à voir les hommes? Combien de fois ce thème est-il répété au cours du paragraphe?
60. En quoi la mentalité des hommes diffère-t-elle de celle des femmes?

Paragraphe 44

61. Ce paragraphe est riche en termes appartenant au domaine économique. Relevez-les.
62. Qu'est-ce que l'auteur essaie de faire dans ce paragraphe?

B. Analyse socio-linguistique

1. À quel type de public ce texte s'adresse-t-il?
2. Qu'est-ce que l'auteur essaie de faire dans cet extrait? Réussit-elle?
3. Comment savons-nous qu'il est question du féminisme dans un contexte canadien? Y a-t-il des phrases, des formulations linguistiques typiques du Canada français?
4. Dans quelle tendance féministe Lysiane Gagnon s'inscrit-elle?

C. Étude de langue

I.

1. Réfléchissez à la fonction de ce texte. Relevez *les formulations linguistiques* ayant trait aux fonctions suivantes :
   a. *la définition* (...être seule, c'est-à-dire...)
   b. *l'explication* («La tendance radicale repose sur...»)
   c. *l'exposition* («je me demande si... c'est encore une des raisons...»)
2. «Si le lecteur veut connaître «ce que dit de faire» le scripteur, c'est le repérage des *modalités pragmatiques* (c.-à-d. la nécessité, la probabilité). S'il veut connaître l'opinion de l'auteur, il aura recours au repérage des *modalités appréciatives* (expression de jugement, d'at-

titude) ». Sophie Moirand, *Situations d'écrit*, p. 64. Remplissez ce tableau avec des exemples pris dans le texte.

Modalités pragmatiques	*Modalités appréciatives*

II.

Remplacez les tirets par l'expression qui convient, choisie dans la liste ci-dessous. N'oubliez pas de faire tous les changements nécessaires.

une remise en question	garder en tête
un chauffeur d'autobus	sa confiance en soi
détenir	de son côté
les horaires	la patinoire
l'éducation permanente	la facilité
les compagnons	le conditionnement
courir	reprendre
à contre-courant	la foulée
la démarche	un éventail
le boulot	la manifestation
valable	une compagne
s'épanouir	engagé
un violeur	le viol
par hasard	le harcèlement

Claire B. passait par une période de ______________. En tant que ______________, elle ______________ un emploi offrant plusieurs avantages : des ______________ flexibles qui lui permettaient de suivre trois fois par semaine des cours de ______________, un salaire égal à celui de ses ______________ de travail. Elle aimait beaucoup son ______________ qui lui permettait de développer sa ______________ et de s'épanouir pleinement sur le plan humain.
La veille à ______________________ elle avait rencontré tout à fait ______________ Nicole, une ancienne ______________ de classe qui lui avait fait tout un discours sur le ______________ de la femme par le système scolaire. Pleinement ______________________ dans la ______________ du mouvement féministe, Nicole avait participé à de nombreuses ______________ portant sur ______________, risque que ______________ toute femme, ______________ sexuel des femmes sur les lieux de travail, ______________ à la télévision. Pourtant, sans aller ______________________ du mouvement féministe, elle trouvait ______________ certains arguments. Claire B. n'était pas d'accord avec tous les aspects de la ______________ féministe. À ses yeux, l'essentiel consistait à ______________ que les hommes n'étaient pas tous des ______________ en puissance, comme le prétendaient parfois les féministes radicales. Quand elles se sont quittées, chacune allant ______________, Claire B. a réfléchi à la ______________ avec

laquelle les deux femmes avaient ________________ contact. Un ________________ d'expériences partagées! Est-ce que c'était cela qui les rapprochait?

III.

Complétez chacune des expressions idiomatiques suivantes en vous servant de la définition fournie :

a) in my lifetime	de mon ________________
b) with this slight difference or variation	à cette différence ________________
c) other fields of action	d'autres ________________ d'action
d) an exaggerated fear of men	une peur ________________ des hommes
e) a paramilitary training	________________ paramilitaire
f) a terrifying experience if ever there was one	une expérience terrifiante ________________
g) as if nothing had happened	________________ de rien
h) a more in-depth analysis	une analyse plus ________________
i) in the depth of winter	au plus ________________ de l'hiver
j. a short-term struggle	une lutte à ________________
k) public transit	les transports ________________

IV.

Dans cet article Lysiane Gagnon se sert de diverses formules pour traduire la notion « having to do with violence ». Donnez au moins trois formulations linguistiques possibles.

V.

Mettez les phrases suivantes en anglais, en soignant particulièrement la traduction des parties soulignées.

a. Il faut continuer à réclamer plus de *structures d'accueil* pour les femmes et les enfants victimes de violence.
b. (...) les hommes (...) provoqués *de front* réagiront, non pas par l'apathie, mais par la contre-attaque... ce qui risque d'engendrer encore plus de violence *à l'endroit des femmes*.
c. Car enfin, si, *comme le veut une thèse répandue*, le violeur est un homme « normal », ordinaire(...)
d. (...) le mouvement de grève *l'emportait* de toute évidence.
e. Peut-être cet aspect de l'idéologie féministe a-t-il été mal compris *faute d'explications*.
f. Ce sont *au contraire* de très beaux métiers.

g. Sans éclats, *mine de rien*, sous l'impulsion de l'idéologie féministe, *les femmes ont remis leurs choix en question*, et *ce faisant* ont découvert la solidarité.

VI.

Donnez une expression équivalente en français pour chacune des phrases suivantes :
a. travailler à l'extérieur
b. un sac d'épicerie
c. le corps de police
d. toute une gamme d'expériences
e. à l'inverse

VII.

Donnez le féminin des termes suivants :
a. amoureux
b. compagnon
c. un électricien
d. un chirurgien
e. un astronaute
f. un comptable
g. un médecin
h. un avocat
i. un écrivain

VIII.

A. Justifiez l'inversion sujet-verbe dans les phrases suivantes :
a. Peut-être cet aspect de l'idéologie féministe a-t-il été mal compris faute d'explications.
b. Ainsi la lutte féministe la plus visible de l'année '82 a-t-elle été...
c. Sans doute est-ce une des choses que les hommes d'aujourd'hui envient aux femmes, que cette possibilité de réfléchir entre elles.
B. Identifiez le subjonctif et justifiez son emploi :
a. Il n'y a rien détonnant à ce que les féministes lesbiennes aient été plus disponibles à toute forme d'engagement féministe.
b. Qu'il y ait du sectarisme, au sein d'un mouvement nouveau, et qui, parce qu'il chambarde l'ordre établi, s'est toujours trouvé de toutes parts férocement attaqué et impitoyablement ridiculisé, il n'y a rien là qui soit étonnant.
c. ...et l'amour est un élément trop fondamental de la vie pour qu'on puisse le déposer comme un sac d'épicerie...

IX.

Indiquez le contraire de chaque terme donné.
a. minorité
b. gratifier
c. valoriser
d. minoritaire

e. avoir honte
f. plaire
g. relâché
h. compréhensible
i. marginaliser
j. sensible
k. la perte
l. l'autonomie
m. mince
n. l'enfermement

X.

Dans le texte, Lysiane Gagnon parle de « l'auto-défense » des hommes. Quel est le sens de ce préfixe? Connaissez-vous d'autres mots ayant le préfixe « auto »? Employez-les dans des phrases qui en illustrent clairement le sens.

XI.

Le schéma qui suit sert à résumer les grandes articulations du texte. La première partie du travail est faite. À vous de continuer...

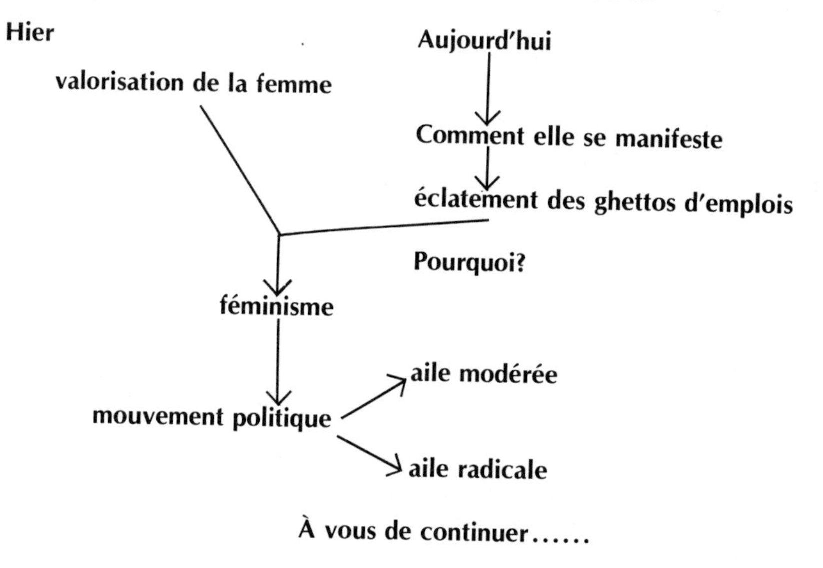

XII.

Exercices de rédaction

a. « L'idéal terrifiant de la jeunesse-beauté-minceur » est-il encore valable pour la femme d'aujourd'hui?

b. «...il me semble parfois que l'imposition d'un stéréotype de la virilité leur est encore plus lourde à porter qu'aux femmes.» Êtes-vous d'accord avec le jugement de Lysiane Gagnon sur les hommes?
c. «L'approche féministe varie selon la nature des rapports qu'on a avec les hommes, et l'amour (qui englobe la sexualité mais ne s'y réduit pas) est un élément trop fondamental de la vie pour qu'on puisse le déposer comme un sac d'épicerie à l'entrée d'une salle de réunion pour le reprendre ensuite à la sortie...» (Lysiane Gagnon) Qu'en pensez-vous?
d. «La majorité des femmes (comme d'ailleurs une bonne partie des hommes) n'a jamais été en contact avec la porno». Est-ce une remarque naïve?
e. Est-ce que les femmes préfèrent travailler pour un «patron» ou pour une «patronne»? Ou, au contraire, est-ce que la notion de genre n'a rien à voir?
f. Si c'est vrai que le concept du féminisme s'accompagne d'une valorisation positive, comment expliquer la dévalorisation de la masculinité agressive?
g. Pourquoi est-ce que certaines femmes s'opposent au mouvement féministe? Est-ce que les femmes occupent encore une place privilégiée dans notre société?
h. Les objectifs du mouvement féministe sont à la fois politiques et culturels. Lesquels vous semblent les plus importants?
i. Jusqu'à présent, quelles ont été les victoires les plus marquantes remportées par le mouvement féministe?
j. Dans l'exercice qui suit, plusieurs situations vous seront présentées. Expliquez les démarches que vous feriez si vous étiez à la place de la personne décrite.
   1. Une jeune femme, mère de famille travaille pour une compagnie qui ne souscrit pas à la pratique «à travail égal salaire égal». Elle touche un salaire bien inférieur à celui des hommes avec qui elle travaille. Elle est consciente de l'injustice, mais n'ose pas en parler à son patron de peur de perdre son emploi. Que feriez-vous à sa place?
   2. Une jeune femme cadre, mariée depuis cinq ans à un professeur titulaire, est nommée à la vice-présidence de la firme pour laquelle elle travaille. Le ménage habite Vancouver. Si elle accepte le poste, elle sera obligée de quitter son mari pour s'installer à Toronto. Quelle est la solution?
   3. Une jeune femme ingénieur civil a été nommée responsable d'un grand projet de construction qui coûtera plusieurs millions de dollars. Dans ce milieu dominé par les hommes, l'efficacité de son travail se voit minée par le manque de respect de la part de l'entrepreneur, du client et de l'architecte. Le projet est déjà en retard sur les prévisions et a largement dépassé le budget prévu. Qu'est-ce qu'elle devrait faire?

Crocniques

Les Femmes

Les temps changent, y'a pas à dire. Il y a de plus en plus de femmes qui travaillent dans des milieux d'hommes et de plus en plus d'hommes qui viennent nous voler nos jobs. Bien sûr, on est encore à des milles des postes de direction mais maintenant que beaucoup d'hommes nous considèrent comme égales, ils nous ont ouvert une nouvelle voie parmi eux : il y a toujours une place pour la token woman. *1*

Moi par exemple. Côme (mon ex-mari) m'a dit que ce doit être pour ça qu'ils m'ont prise à CROC, vu que c'est certainement pas pour mon corps. Il est comme ça : mauvaise langue et l'esprit étroit. Il croit profondément que les gars acceptent de travailler, de parler, de sortir «en ami» avec des filles dans un seul but : les «crouser». Ce qui m'amène au sujet très controversé d'aujourd'hui, de demain et d'hier soir : l'amitié entre les hommes et les femmes. *2*

EST-ELLE POSSIBLE?

Je connais bien des filles qui ont des amis de gars. Ce sont en général : leurs anciens chums, leur ami gay (on en a toutes un, il y en a assez pour ça), le petit gros laid du bureau, un ancien amoureux platonique qui a aimé mieux se recycler que de disparaître dans le paysage, un ami d'enfance qui reste encore chez sa môman à trente ans, les gars doux, sensibles et fins qui traitent les filles en égales et à qui elles confient leurs peines d'amour. Les filles entretiennent en général avec tous ces genres de gars une belle relation amicale qui ne risque jamais de dégénérer en association plus intime. Car l'amitié, on le sait, est très précieuse et ne doit jamais être mêlée à l'amour pour être vraie et noble. Et comme l'amour n'est en résumé qu'une banale affaire de cul, ce sont les gars de qualité moindre, comme les bellâtres, les bien habillés et les menteurs qui en profitent. À moins que la fille ne se sente une âme de missionnaire et veuille convertir au féminisme orthodoxe les gros bras pas de tête. Mais ça c'est un autre sujet. *3*

Donc, l'amitié entre les hommes et les femmes existe bel et bien. Je le sais parce que, je l'ai déjà dit, plusieurs des filles que je connais sont amies avec des gars. Est-ce que je connais beaucoup de gars qui eux, sont amis avec des filles? NON. *4*

ÉTRANGE, N'EST-CE PAS?

Ici, je pense que nous touchons un point important : si 10 filles sont amies avec des gars et 1 gars seulement partage ce genre de lien avec le sexe opposé, un problème mathématique survient; à moins que ç'en soit un de communication, de définition ou tout simplement de conception du monde. *5*

Les gars à CROC, par exemple. Pour répondre à la question que vous m'avez posée tout à l'heure : oui, je suis amie avec eux autres. Ils m'accueillent toujours avec des commentaires constructifs du genre : «Tsé, Éva, ton article du mois passé était presque aussi bon que les nôtres. Lâche pas !» Moi, ça m'encourage. Puis c'est arrivé souvent que j'ai invité un pis l'autre à sortir, de même sans arrière-pensée, parce que j'aime bien leur compagnie. À date, après 5 ans, ils ont toujours eu des empêchements mais je comprends : ils sont tellement occupés à écrire. 6

Côme, hier justement, m'a demandé : «Pis eux autres, y t'ont-tu invitée à sortir dewors?» Ben oui, c'est arrivé : c'était d'ailleurs la fois que Côme m'avait passé sa Mustang décapotable. 7

Je sais, ça prouve rien. Mais moi, je me fie aux bons sentiments du monde. Puis je suis certaine que si personne n'appelle chez nous c'est parce que le monde veut pas me déranger, pensant probablement que je suis très occupée. Laissez-moi ici dissiper ce dout : j'ai beaucoup de temps libre, pour l'amitié, certain; sinon ben... je me contenterais d'amour peut-être. 8

Éva Partout

Voyages

Bon, eh bien ça va faire, Éva Partout! Il est temps qu'on se parle! 1

N'ajustez pas votre magazine : vous êtes bien à la crocnique Voyages. Seulement, je m'aperçois, en lisant la crocnique d'Éva Partout, qu'elle parle de l'amitié entre les hommes et les femmes. Grande langue et frustrée comme elle est, elle va sûrement en profiter pour parler de ses relations avec la gang de Croc qui, en l'occurrence, aura sûrement besoin que quelqu'un la défende. Excusez-moi, j'y vais!* 2

Disons tout d'abord que quand Eva s'est amenée à Croc, personne n'a protesté : il n'y avait pas de femme dans l'équipe et c'était la première qui se présentait. En fallait une; il y en avait une : on n'a pas dit un mot. 3

Elle va probablement dire qu'on n'a jamais essayé de coucher avec elle et elle va prendre ça pour un compliment. Elle va probablement ajouter que quelqu'un (Côme, son ex-mari) lui a dit que c'était parce qu'elle ne nous attirait pas. Eh bien, si ça peut la consoler, c'est pas l'envie qui manquait : elle est pas laide, dans son genre, Éva, mais on n'est pas assez fous pour draguer la seule femme de la gang et ce pour deux raisons :

1° On n'a pas envie de perdre la seule femme de l'équipe.

2° On n'a pas envie de se faire traiter de macho-sexiste dans sa chronique.

**Ah puis v'nez pas vous plaindre : si vous n'êtes pas déjà en voyage au moment où cette crocnique paraîtra, vous êtes déjà dans l'trouble et qu'est-ce que vous voulez que j'y fasse?*

Et puis n'importe quel gars le moindrement intelligent sait que si tu ne veux pas te faire accuser de harassement sexuel, tu ne dragues pas au bureau; tu gardes ça pour ailleurs... D'ailleurs, si tu dragues au bureau et que ça tourne mal, tu risques d'avoir ton échec sur le nez un bon bout de temps : à deux réunions par semaine, ça peut devenir dur à prendre, à la longue... Tu risques même qu'à un moment donné ça devienne tellement «heavy» que l'équipe soit obligée de faire un choix : toi ou elle. Comme Éva est la seule femme de l'équipe, le choix risque d'être vite fait, et moi, en tout cas, je n'ai pas les moyens de perdre une job... *5*

Je ne sais pas ce qu'Éva va dire sur l'amitié entre homme et femme mais je sais que moi, là-dessus, j'ai juste une chose à dire : pour un homme, un vrai, il y a deux sortes de femmes avec lesquelles l'amitié est possible :
1° Une femme avec laquelle il ne peut pas faire autre chose.
2° Une femme avec laquelle il ne VEUT pas faire autre chose. *6*

Dans le premier cas, c'est un pis aller et ça marche rarement : selon mon expérience, quand une femme a dit non c'est non, et il n'y a rien à gagner à perdre son temps à lui faire le coup de l'amitié... *7*

Dans le second cas, c'est plus «safe». En tout cas, c'est moins frustrant pour l'homme. Et puis ça peut toujours servir pour se plaindre des autres femmes ou si elle a des amies «cute». *8*

À part ça? À part ça il n'y a rien : ou tu veux une femme et tu peux l'avoir (ou non) ou tu la veux pas et puis ça vient de s'éteindre. En tout cas, moi je ne vois pas d'autre situation possible... *9*

Bon, me semble que ça règle la question générale. Reste la question particulière : est-ce qu'on est ami avec Éva Partout? Ça dépend. *10*

Éva est une bonne fille : elle parle pas trop aux réunions et elle ne chiale pas trop quand elle perd au poker. À part ça, elle écrit pas trop mal pour une fille, alors il y a un certain respect qui s'établit. Et puis, à ce qu'elle nous a dit, son ex-mari a une Mustang : on la voit pas souvent mais ça peut servir, éventuellement... *11*

Et puis, c'est la seule femme du groupe, on est habitués à elle et on n'en voudrait pas d'autre... *12*

Marco Paulo

Crocniques

Éva Partout

A. Exercices de compréhension

Paragraphe 1

1. Relevez les deux anglicismes de ce premier paragraphe.
2. Quelle est la phrase clé de ce paragraphe?
3. Trouvez la tournure imagée pour « on est encore très loin de... »

Paragraphe 2

4. Comment ce paragraphe est-il relié au précédent?
5. Quel est ce sujet très controversé?

Paragraphe 3

6. Quel rôle jouent les sous-titres dans ce texte?
7. Citez les exemples que l'auteur donne d'« amis de gars ».
8. Quels termes emploie-t-on habituellement pour désigner « ces genres de gars »?
9. À quoi se réduit l'amour? Soulignez l'expression qui résume le raisonnement.
10. Relevez les adjectifs décrivant les hommes qui s'intéressent à l'amour.
11. Comment ces hommes amoureux se comparent-ils aux « amis de gars »?
12. Expliquez ce que l'auteur veut dire par « les gros bras pas de tête ».

Paragraphe 4

13. Quel rôle joue ce paragraphe dans le développement de l'article?

Paragraphe 5

14. Quels sont les différentes façons de voir ce problème?

Paragraphes 6, 7

15. Que servent à illustrer ces paragraphes?
16. Quelles sont les sources de l'humour de ce paragraphe?

Paragraphe 7

17. Quel verbe est employé avec le sens de « prêter »?

Paragraphe 8

18. Qu'est-ce que le texte nous apprend sur la vraie situation de cette femme?

Voyages

Marco Paulo

Paragraphe 2

19. « N'ajustez pas votre magazine : vous êtes bien à la crocnique Voyages ». Qu'est-ce qui est parodié ici?
20. Expliquez comment la deuxième partie de la « crocnique » constitue la suite logique de la première.
21. En quels termes Éva Partout est-elle décrite?

Paragraphe 3

22. Comment Marco Paulo explique-t-il la présence d'Éva aux bureaux de CROC?
23. Quels autres termes reprennent le sens du verbe « ne pas protester »?

Paragraphe 4

24. Quel est le verbe clé de ce paragraphe?
25. À quelle question ce paragraphe répond-il?

Paragraphe 5

26. Montrez en quoi ce paragraphe constitue la suite logique du précédent.
27. Trouvez l'expression du texte qui veut dire, « difficile à supporter ».

Paragraphe 6

28. Selon lui, l'amitié est-elle possible entre les femmes?

Paragraphes 7, 8

29. Quels sont les deux articulateurs rhétoriques qui permettent de voir la progression du texte?
30. Comment l'auteur voit-il l'amitié dans le premier cas présenté?
31. Comment, en parlant du deuxième cas, dévoile-t-il ses tendances égoïstes?

Paragraphe 9

32. Conçoit-il des situations faisant exception à cette règle?

Paragraphe 10

33. Quelle est la fonction de ce paragraphe dans le contexte de l'article?

Paragraphe 11

34. Qu'est-ce que l'auteur essaie d'expliquer dans ce paragraphe?

Paragraphes 11, 12

35. Comment, une fois de plus, montre-t-il son égoïsme?

B. Analyse sociolinguistique

1. Quel est le ton de ce texte? Citez des détails du texte à l'appui de votre réponse.
2. Pourquoi l'auteur a-t-il écrit ce texte? En d'autres termes, quelle(s) fonction(s) remplit cet article (provoquer, persuader, etc.)?
3. Relevez tous les canadianismes en indiquant s'il s'agit d'une divergence du français standard sur le plan syntagmatique ou lexical.
4. Faites la liste de tous les anglicismes. Ensuite, donnez pour chacun son équivalent en français standard.

C. Exercices de langue

I.

Remplacez les tirets par le mot ou l'expression choisi dans la liste ci-dessous. N'oubliez pas de faire tous les changements nécessaires.

une mauvaise langue	à la longue
l'esprit étroit	lâcher
une affaire de cul	à part ça
un pis-aller	avoir des empêchements
tout à l'heure	une décapotable

a. Cette dame a ________________ . Elle invente des histoires sur ses voisins.
b. Les films porno montrent l'amour non comme une affaire de coeur, mais plutôt comme ________________ .
c. De la persévérance. Ne ________________ pas.
d. J'ai mal aux oreilles, à la gorge et à la tête; ________________ tout va bien.
e. Je ne peux pas vous parler tout de suite, mais je serai avec vous ________________ .
f. Je m'excuse d'être en retard : ________________ au bureau.

g. Sur le moment j'ai beaucoup aimé ces rideaux orange, mais ________________ ça peut être fatigant.
h. Un individu qui ne voit pas plus loin que le bout de son nez a ________________ .
i. Une voiture dont on peut baisser le capot est une ________________ .
j. Si le train n'est pas à l'heure, comme ________________ , on peut toujours prendre l'autobus.

II.

Marquez d'une croix la réponse correcte.

a. Si vous voulez *coucher avec quelqu'un*, vous voulez :
   i. lui demander un logement pour la nuit,
   ii. faire l'amour.
b. Quand on *drague quelqu'un*
   i. on le poursuit avec insistance de ses attentions,
   ii. on le tire par la main.
c. Si ça *tourne mal*
   i. c'est la catastrophe,
   ii. on se trompe de chemin.

III.

Mettez les phrases suivantes en anglais. Évitez la traduction littérale.

a. On est encore à des milles des postes de direction.
b. Il est temps qu'on se parle.
c. Excusez-moi, j'y vais.
d. Et puis n'importe quel gars le moindrement intelligent sait que si tu ne veux pas te faire accuser de harassement sexuel, tu ne dragues pas au bureau.
e. (...) tu risques d'avoir un échec sur le nez un bon bout de temps (...)

IV.

Exercices de rédaction

1. « Il croit profondément que les gars acceptent de travailler, de parler, de sortir « en ami » avec des filles dans un seul but : les « crousser ». Partagez-vous l'opinion de cette personne?
2. Une association intime (avec un homme ou une femme) est-elle forcément la dégénérescence d'une belle relation amicale? Qu'en pensez-vous?
3. De quel type de rapport, « affaire de cul » ou « vraie amitié », est-il question dans les relations homosexuelles?

Je n'ai jamais compris qui était Karl Marx

L'automne était plus long que d'habitude; il avait commencé très tôt. Dès août, des bouffées de vent violentes avaient secoué les feuilles des arbres, piqué de grains de sable tournoyants les jambes nues des filles, et maintenant novembre sur sa fin rougeoyait toujours. La grisaille du moment était celle du crépuscule, non de la saison. Il y avait trois personnes à l'arrêt d'autobus : une femme d'une quarantaine d'années, l'air fatigué, blonde, laquée, perchée sur des talons trop hauts, très maquillée, une vendeuse; un jeune homme brun aux cheveux frisés, à l'imperméable usé, un journal sous le bras, l'air mécontant de ceux qui croient encore que la vie va leur apporter ce qu'ils veulent mais trouvent que ça tarde à venir; la troisième personne était une fille d'une trentaine d'années, brune, la mise négligée, l'air mécontent de ceux qui ont cessé de croire que la vie va leur apporter ce qu'ils veulent mais ne se sont pas encore résignés à ce qu'ils considèrent comme une injustice du sort. [1]

La fille, c'était moi. Je m'apprêtais à rentrer dans mon studio manger du jambon à la mayonnaise devant le feuilleton télé. Mon studio était un nouveau studio, je n'y habitais que depuis six mois, je ne m'y étais pas encore habituée; j'avais cousu des rideaux orange qui ne tombaient pas très bien mais c'était gai et tonique et je me roulais encore sur la moquette, luxe nouveau; à part ça j'en avais déjà assez, je m'étais imaginé que ce déménagement changerait ma vie et puis je me retrouvais mangeant du jambon mayonnaise le soir devant le feuilleton télé, beaucoup trop de mayonnaise, je pressais le tube avec fureur, il n'y en avait jamais assez; la mayonnaise, ça donne des boutons. [2]

Les dimanches surtout étaient trop longs, j'en étais venue à craindre les dimanches, que faire le dimanche, à part laver mes collants et mes pulls, me laver les cheveux, les repasser ensuite pour qu'ils n'ondulent pas? Je n'avais plus envie de cinéma, je n'avais pas encore le téléphone, je n'avais plus que des filles pour amies, tous mes copains s'étaient évanouis par un phénomène inexplicable, et ces filles racontaient toujours les mêmes histoires, remâchaient toujours les mêmes peines de coeur, je n'avais plus rien à apprendre, quelle tristesse. [3]

J'étais plongée dans ces sombres considérations quand l'autobus arriva. Il restait trois places groupées; je m'assis à côté de la dame blonde; le jeune homme se mit en face. La dame sortit aussitôt son tricot. J'avais pour une demi-heure de trajet, j'habitais en proche banlieue mais en banlieue quand même, la banlieue c'est moins cher comme chacun sait.

Le type avait posé son journal sur ses genoux, mais il ne le déplia pas, il sortit un livre de la poche de son imperméable et se mit à le lire. Il portait de grosses lunettes et ses cheveux frisés et abondants commençaient déjà à reculer, agrandissant démesurément la plage du front. Lorsqu'il leva les yeux de son livre, je vis qu'il avait, de près, l'air affamé, comme si la vie lui refusait jusqu'à un bifteck-frites. Il avait des yeux en creux et tout en prunelles. [5]

Je connais bien ce genre de garçon, on en rencontre tout le temps dans les autobus, ce sont ceux qui ne peuvent pas se payer de voiture. Ils ont un air d'intellectuels mais en réalité ils sont vendeurs dans l'immobilier et leur père travaille à la S.N.C.F. Derrière un guichet. On ne rencontre jamais de bonnes affaires dans les autobus, de ces types couverts de ce saupoudrage indéfinissable de poudre d'or, effleurés délicatement à la naissance, depuis la boucle de leur front jusqu'à leur derrière rebondi d'une houppette de cygne trempée dans le poudrier du fric de papa, de la famille de maman. On ne les rencontre pas dans les autobus et ailleurs non plus, pas moi en tout cas. *6*

Le jeune homme en face n'appartenait de toute évidence pas à cette catégorie. Je dus cesser de le détailler bientôt, car il me jeta par deux ou trois fois un regard appuyé et absent. Au terminus, il se leva en même temps que moi et par ce mouvement laissa tomber son livre, qui glissa sous le siège; il dut sans dignité aucune se mettre à quatre pattes pour le récupérer.

Je quittai l'autobus le laissant dans cette posture. *7*

En remontant le boulevard je me sentais à la fois triste et légère. J'avais faim, mais repoussai stoïquement les avances des vitrines éclairées des traiteurs et des pâtisseries. Arrivée devant ma porte, je mis la main à mon sac pour en extraire ma clé, geste machinal et quotidien. Il n'y avait pas de sac. Il n'y avait pas de sac au creux de mon coude, de bandoulière à mon épaule. Je n'avais pas de clé, pas d'argent, pas de papiers et j'allais devoir alerter la concierge, le commissariat de police et le bureau des objets trouvés de la R.A.T.P. *8*

Je m'assis sur une marche, et après avoir avalé deux ou trois fois ma salive avec beaucoup de difficulté, je me mis à pleurer. Une fois que les larmes eurent commencé à couler, et sachant que mon voisin de palier ne rentrait chez lui que tard le soir, je me livrai à cette occupation sans retenue. C'était un luxe que je ne m'étais pas offert depuis longtemps et je m'y abandonnais, la tête appuyée contre le mur, comme à une sorte de substitut du jambon mayonnaise. Au bout de quelques minutes, je commençais à m'offrir de vrais sanglots, et à songer que ma mère ne m'avait jamais aimée et que ma vie était totalement dépourvue de sens. La longueur et l'intensité de mes pleurs devenaient de plus en plus satisfaisantes et s'accompagnaient d'un bruit comparable à celui produit par le chien des voisins du dessous dans ces moments de solitude, bruit que je ne m'étais jamais entendue faire auparavant mais qui me semblait riche et approprié; j'avais l'impression d'être une femme-orchestre, tout une mélodie à moi seule, une mélopée étrange, exotique, qui emplissait le palier. *9*

À ce moment, la porte de l'ascenseur s'ouvrit et le jeune homme de l'autobus en sortit. Je m'en aperçus en voyant une paire de chaussures plantées devant moi. Debout, il me regardait d'un air embarrassé. Il portait mon sac en bandoulière. Je chassai mes cheveux de mon visage et le regardai avec un affolement mêlé de haine. Il m'avait volé mon concert. *10*

De derrière ses lunettes, il me dit : «Je, euh, vous...» et déposa d'un geste prudent mon sac à mes genoux, comme on jette un morceau de viande à un chien qui pourrait mordre. Je restai là, effondrée, et attendis de le voir disparaître par où il était venu. *11*

Il restait là, lui aussi, regardant alternativement moi et la pointe de mes chaussures. Tout d'un coup, il se laissa tomber assis à mon côté, et, au dernier moment, il dut me pousser, il n'y avait pas assez de place. Il s'installait, les mains jointes entre les genoux, la tête dans les épaules, sans rien dire. Avec son air découragé, il me prenait ma place, au moral comme au physique. Je me levai, pris mon sac, sortis la clé, ouvris la porte et entrai chez moi. En refermant la porte, je ne pus m'empêcher de jeter un regard sur le type qui était toujours là, dans la même position, regardant ses mains, comme si je n'avais pas bougé. *12*

Catherine Rihoit

Je n'ai jamais compris qui était Karl Marx

Catherine Rihoit

A. Compréhension du texte

Paragraphe 1

1. Relevez les détails qui donnent une image concrète de la force du vent.
2. Trouvez l'expression qui veut dire «on its last leg».
3. Relevez les deux termes qui expriment des couleurs.
4. Quels sont les deux sens du mot «crépuscule»?
5. Quelle est l'image suscitée par le choix des adjectifs suivants :
   a. laquée
   b. perchée
6. Comment dit-on «ayant à peu près quarante ans», «à peu près trente ans»?
7. Dans le premier paragraphe, il y a déjà un parallèle qui s'établit entre le jeune homme et la jeune femme. À quel sujet?

Paragraphe 2

8. Donnez un synonyme de «s'apprêter».

9. Qu'est-ce que c'est qu'un feuilleton télé?
10. Relevez tous les détails qui décrivent son logement.
11. Donnez l'infinitif du verbe dont « cousu » est le participe passé.

Paragraphe 3

12. Quelle est la valeur de « en » dans la phrase suivante : « J'*en* étais venu à craindre les dimanches »?
13. Donnez l'équivalent français de « besides ».
14. Comment traduirait-on en anglais « mes collants »?
15. De quoi va-t-elle se servir pour repasser ses cheveux?
16. Relevez toutes les expressions négatives de ce paragraphe. Comment expliquer la fréquence de cette construction? Qu'est-ce que'elle ajoute au texte?
17. Trouvez le verbe qui se définit ainsi : « répéter, revenir toujours à la même histoire, à la même chose. » *(Petit Robert)*

Paragraphe 4

18. Relevez le vocabulaire se rapportant à l'autobus.
19. Expliquez en français ce qu'est *le tricot*.
20. Donnez une paraphrase pour « comme chacun sait ».

Paragraphe 5

21. Expliquez ce que c'est que « la plage du front ».
22. Est-ce que la fille trouve le jeune homme beau? Citez des détails du texte à l'appui de votre réponse.
23. Donnez un substantif appartenant au même champ lexical que « affamé ».

Paragraphe 6

24. Quelles hypothèses la jeune narratrice fait-elle sur le jeune homme?
25. Qu'est-ce que l'on vend si on est vendeur :
    a. dans l'immobilier
    b. de mobilier
26. Que représente le sigle SNCF?
27. Que faut-il entendre par « bonnes affaires »?
28. Relevez l'image par laquelle elle décrit les hommes riches.
29. Donnez un synonyme d'« éffleurés ».
30. Trouvez une préposition qui indique :
    a. un point de départ
    b. un point d'aboutissement
31. Quel est le contraire de l'adjectif « rebondi »?
32. Y a-t-il d'autres mots dans ce paragraphe qui reprennent la métaphore de la poudre?
33. Qu'est-ce que c'est que « le fric »?

Paragraphe 7

34. Soulignez la phrase du texte qui reprend le sens du verbe «détailler».
35. Mettez en anglais l'expression idiomatique «se mettre à quatre pattes».

Paragraphe 8

36. Que veut dire «les avances des vitrines»?
37. Quel est l'équivalent français de «mechanical gesture»?
38. Parlons des *sacs à main*. Énumérez les différentes sortes de sacs à main.
39. Que représente le sigle R.A.T.P.?
40. Qu'est-ce que la jeune femme a perdu?

Paragraphe 9

41. Trouvez un synonyme de «commencer à».
42. Donnez d'autres mots se rapportant au thème de «pleurer».
43. «J'avais l'impression d'être une femme orchestre». Expliquez.

Paragraphe 10

44. Trouvez un synonyme pour «gêné».
45. Pourquoi le jeune homme est-il là?
46. «Il m'avait volé mon concert». Qu'est-ce qu'elle veut dire par cela?

Paragraphe 11

47. «Euh» est la marque d'une hésitation en français. Quel est son équivalent anglais?
48. Comment est-ce que le jeune homme explique sa présence?

Paragraphe 12

49. S'il avait «la tête dans les épaules» avait-il la tête *relevée* ou *baissée*?
50. D'après les détails qui nous sont donnés sur ce type, que pouvons-nous conclure sur son caractère?

B. Analyse sociolinguistique

1. Ce récit s'adresse principalement aux lecteurs de quel âge?
2. Pourquoi l'auteur a-t-elle écrit ce récit?
3. Faites la liste des images stéréotypes du texte.
4. *Étude structurale*
   Il serait intéressant de faire une analyse de ce récit à la lumière des travaux des structuralistes. Vladimir Propp a montré dans son étude du conte populaire russe *(La Morphologie du Conte)* que certains éléments qu'il appelle *fonctions* et qui représentent «ce que font les personnages» restent invariables, quoique les noms et les attributs des personnages qui accomplissent ces actions changent d'une histoire à l'autre. En outre, la succession de ces fonctions semble rigoureusement pro-

grammée. Bien que tous les contes ne contiennent pas forcément toutes les fonctions que Propp avaient repérées, leur succession est toujours identique. Pour ne prendre qu'un exemple, à titre d'illustration, la fonction «constatation d'un manque» est suivie de celle-ci : «départ du héros».

Si nous revenons maintenant au récit «Je n'ai jamais compris qui était Karl Marx», nous pouvons dégager les fonctions suivantes :

I.

Situation initiale (l'ouverture du récit). La jeune fille est malheureuse. Elle se sent seule et n'a pas de compagnon.

II.

La constatation d'un manque. Elle perd son sac.

III.

Le héros vient à son secours. Le jeune homme trouve son sac et le lui rapporte.

IV.

Le manque est réparé.

Nous n'avons reproduit que la première partie de ce récit. C'est à vous de le compléter d'une façon logique. Cette histoire va-t-elle se terminer à la façon des contes de fées («ils vécurent heureux jusqu'à la fin de leurs jours»)?

Comment expliquez-vous le titre, «Je n'ai jamais compris qui était Karl Marx»?

C. Étude de langue

I.

Faites un portrait de votre *voisin de palier*. Utilisez le vocabulaire qui vous est donné ci-dessous :

à côté de	se dégarnir
en face de	la plage du front
devant	l'air affamé
à part	des yeux en creux
de prés	la pointe de ses chaussures

II.

Dans le texte il est question d'un type qui a «des yeux en creux». Que signifient les expressions suivantes :

a. avoir une voix creuse
b. avoir des joues creuses
c. avoir l'estomac creux
d. avoir la tête creuse

III.

Les termes suivants appartiennent au registre familier. Donnez l'équivalent en français standard.

a. un type
b. un copain
c. se payer
d. une bonne affaire
e. le fric

IV.

Expliquez ce qu'est :

a. un bifteck-frites
b. un jambon-mayonnaise

V.

Mettez en anglais les expressions suivantes :

a. se mettre à quatre pattes
b. de toute évidence
c. comme chacun sait
d. en tout cas

VI.

Mettez les phrases suivantes en anglais, en soignant particulièrement la traduction des parties soulignées. Évitez la traduction littérale.

a. Je m'assis sur la marché, et *après avoir avalé deux ou trois fois ma salive avec beaucoup de difficulté,* je me mis à pleurer.
b. *Je chassai mes cheveux de mon visage* et le regardai avec un affolement mêlé de haine.
c. Il s'installait, les mains jointes entre les genoux, la *tête dans les épaules,* sans rien dire. Avec son air découragé, *il me prenait ma place, au moral comme au physique.*

VII.

Exercices de rédaction

1. « Les dimanches surtout étaient trop longs, j'en étais venue à craindre les dimanches, que faire le dimanche, à part me laver les cheveux, les repasser ensuite pour qu'ils n'ondulent pas. »
   La jeune femme de l'histoire est très seule et solitaire, comme le montre la citation. Pourquoi ne cherche-t-elle pas à fréquenter des gens qui pourraient l'aider à sortir de sa solitude?
2. Est-ce que sa solitude et son incapacité de sortir de sa solitude font partie intégrante de sa personnalité ou sont-elles au contraire le reflet d'un malaise des temps modernes?
3. Croyez-vous à la possibilité de rencontrer « l'homme ou la femme de vos rêves » en passant par l'intermédiaire d'une agence matrimoniale?
4. La jeune femme de l'histoire est-elle égocentrique?
5. Est-ce que le mouvement féministe a influencé la vie de cette jeune femme? Quelle est votre impression?

Fiche d'accompagnement
Compréhension orale

Vocabulaire :

ôter – to take off
le coeur n'y était pas – my heart wasn't in it
coupable – guilty
avec un certain attendrissement – with a certain emotion
une laitue – lettuce
las (adj.) – weary
l'épicier – the grocer
la queue – the line
dedans – inside
le palier – the landing
un balai – a broom
les pompiers – the firefighters
écoper – to bale out
l'aube – daybreak
l'orage – storm
les pieds au frais – keeping one's feet cool
entamer – to start (upon), to cut into
astucieux (adj.) – astute, clever

Questions sur l'écoute

1. Que fait-elle en entrant dans son appartement?
2. Pourquoi ressort-elle?
3. En revenant avec sa laitue, que décide-t-elle de faire si le type est encore là?
4. Qu'est-ce qu'elle remarque en descendant de l'ascenseur?
5. Que faisait le type?
6. Quelles explications lui offre-t-il?
7. À quelle heure finissent-ils de chasser l'eau?
8. Qu'est-ce qu'elle lui offre à manger?
9. Qu'est-ce qui donne l'impression que le type, lui aussi, mange de la mayonnaise assez fréquemment?
10. Quelle question est-ce que le type pose à la fille?
11. Pourquoi faut-il qu'il rentre?
12. Comment s'appelle-t-il?

Dictée.

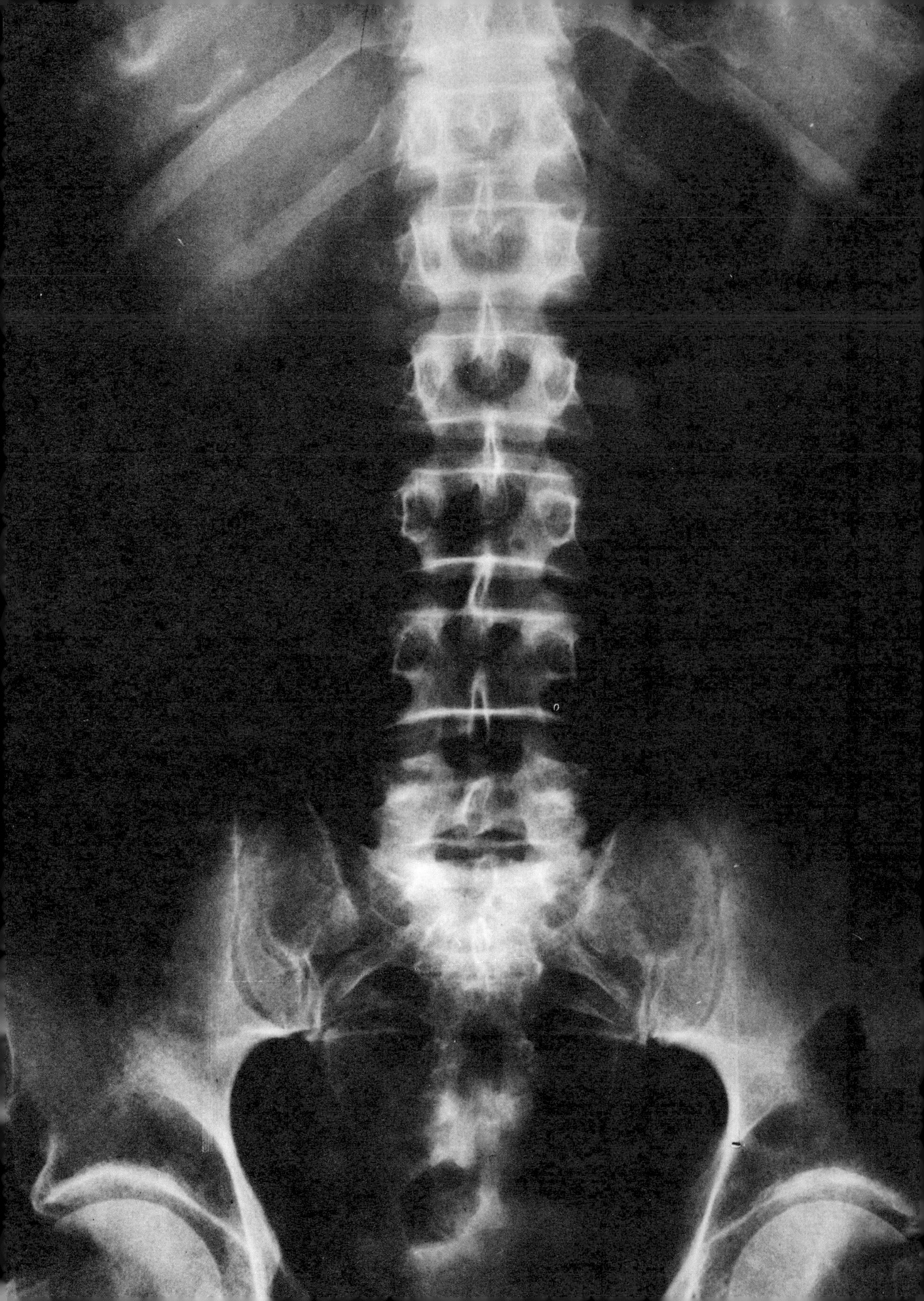

3

La Médecine et vous

Au cours des vingt dernières années, la médecine a progressé à un pas de géant. Une cure contre le cancer n'existe pas encore, mais grâce à la science, la transplantation des organes vitaux, l'insémination artificielle et les manipulations génétiques sont devenues choses courantes. Les rapports entre le patient et son médecin ont-ils aussi subi des transformations? Quelles sont les maladies des temps modernes? La dépression, l'anorexie, symptômes du malaise des temps modernes, sont bien les fruits d'une société qui se dit progressiste. Se laisse-t-on trop souvent prendre au piège des images publicitaires qui promettent le bonheur sur demande, bonheur qui, bien souvent, nous échappe?

L'énigme de l'anorexie

Les nouvelles maladies sont rares, et on n'a jamais entendu parler d'une maladie qui atteindrait sélectivement les êtres jeunes, beaux et riches. Mais une maladie de ce genre frappe les filles de familles aisées, cultivées et prospères, non seulement aux États-Unis, mais dans beaucoup d'autres pays riches. Le principal symptôme en est le strict refus de nourriture qui conduit à une désastreuse chute de poids. «Elle a l'air de sortir d'un camp de concentration», est une formule souvent utilisée pour décrire la malade. [1]

Parler de nouvelle maladie n'est pas à proprement parler exact. La maladie fut décrite il y a un peu plus de cent ans en Angleterre et en France. Sir Wilham Gull, qui fut en son temps l'éminente figure de la médecine britannique... l'appela anorexia nervosa. Il existe des références à des observations encore plus anciennes. En 1689, Richard Morton faisait état d'une «consomption nerveuse» qui semble se rapporter à la même maladie. Dans ses observations prises sur le vif, il employa l'image précise de «squelette uniquement recouvert de peau». [2]

Cependant, je parle de nouvelle maladie parce que, au cours des quinze ou vingt dernières années, l'anorexie mentale s'est développée à un rythme de plus en plus rapide. Auparavant elle était extrêmement rare. La plupart des médecins en connaissaient le nom pour en avoir entendu parler durant leurs études, mais ils n'en voyaient jamais aucun cas dans la réalité. Maintenant, c'est une maladie si courante qu'elle constitue un véritable problème dans les lycées et les universités. On pourrait parler d'épidémie, mais il n'y a pas d'agent de contagion; la propagation doit en être attribuée à des facteurs psychosociologiques. La question embarrassante est : Pourquoi une maladie aussi terrible frappe-t-elle des filles jeunes et saines, qui ont été élevées dans des conditions privilégiées, voire luxueuses? Elle atteint bien les garçons, habituellement au stade prépubertaire, mais beaucoup moins souvent; on a probablement moins d'un cas d'adolescent pour dix cas d'adolescentes. Elle touche rarement, sinon jamais, les pauvres, et on n'en a pas entendu parler dans les pays en voie de développement. Selon une récente enquête effectuée dans les écoles privées et les internats anglais, le taux d'occurrence était d'environ un cas pour 200 jeunes filles. Dans l'enseignement public, il était bien inférieur; il n'y avait qu'un seul cas pour près de 3 000 élèves. [3]

Nous ne pouvons que spéculer sur les raisons pour lesquelles cette màladie frappe les classes aisées, et pour lesquelles elle s'est tellement répandue au cours des 15 ou 20 dernières années. Il n'existe pas d'études sociologiques systématiques. Je suis portée à relier ce phénomène à l'insistance avec laquelle la mode réclame la minceur. Une mère ou une soeur aînée peut susciter par son comportement ou par ses exhortations le besoin impérieux de rester mince. Il n'est pas rare qu'il y ait dans la famille une soeur ou une cousine plus âgée dont le poids est excessif, et la jeune enfant remarque quelle source de souffrance représente l'obésité. Les magazines et le cinéma transmettent un message identique, mais c'est la télévision qui se montre la plus insistante en serinant du matin au soir aux oreilles des spectateurs qu'on ne peut être aimé et respecté qu'en étant mince. 4

Un autre facteur connexe semble être la revendication justifiée des femmes d'avoir une plus complète liberté d'utiliser leurs dons et leurs aptitudes. Les jeunes filles en période de croissance peuvent ressentir cette libération comme une exigence, et avoir l'impression qu'elles doivent faire quelque chose de remarquable. Beaucoup de mes malades ont exprimé le sentiment qu'elles étaient accablées par le très grand nombre d'occasions potentielles qui s'offraient à elles, et auxquelles elles «devraient» répondre, qu'il y avait trop de possibilités de choix et qu'elles avaient eu peur de ne pas choisir correctement. L'une d'elles comparait les exigences qui assaillaient une adolescente moderne aux pressions qu'un cadre de 40 ans pouvait connaître avant d'être frappé d'une crise cardiaque. Il se peut que la plus grande liberté sexuelle joue un rôle dans l'augmentation du nombre des cas d'anorexie mentale. On s'attend à ce que les filles commencent à sortir avec les garçons ou à faire des expériences hétérosexuelles à un âge bien plus jeune qu'auparavant. Une fille de 14 ou 15 ans, et a fortiori de 16 ans, qui ne sort pas avec les garçons, a le sentiment d'être marginale, ou bien on la traite comme telle. L'anorexie apparaît souvent après un film ou une lecture sur l'éducation sexuelle, qui met l'accent sur ce que la jeune fille devrait faire et qu'elle n'est pas prête à faire. 5

Quelle que soit la raison de l'élévation du taux d'occurrence, c'est un fait que l'anorexie mentale est devenue plus fréquente. Ceci a eu une influence sur notre compréhension de la maladie. À partir de 1960, des rapports portant sur des groupes plus importants de malades ont été publiés dans des pays aussi éloignés les uns des autres que la Russie et l'Australie, la Suède et l'Italie, L'Angleterre et les États-Unis. Il existe maintenant un vaste consensus pour reconnaître que l'anorexie mentale est une maladie distincte avec un trait dominant : la recherche implacable d'une excessive minceur. C'est cette forme d'anorexie mentale véritable ou primaire qui est en augmentation, et qu'il faut distinguer de la forte chute pondérale qui tire son origine d'autres causes. On reconnaît aussi que le terme d'anorexia mentale dont on se sert pour désigner cette maladie est inexact, mais il est généralement accepté et il continuera probablement d'être employé. Anorexie signifie manque d'appétit. Bien que l'absorption de nourriture soit nettement réduite, elle ne l'est pas en raison d'un manque d'appétit ou d'un moindre intérêt pour la nourriture. Au contraire, ces jeunes filles sont terriblement préoccupées par la nourriture et par le fait de manger, mais elles considèrent l'autoprivation et la discipline comme les vertus suprêmes, et elles condamnent la satisfaction de leurs besoins et de leurs désirs comme une honteuse habitude de s'écouter. 6

«C'est une maladie épouvantable : vous voyez votre enfant qui délibérément se fait du mal, et qui souffre manifestement, et cependant vous êtes incapable de l'aider. Un autre aspect tragique de cette maladie vient de ce qu'elle affecte toute la famille, car nous vivons dans une atmosphère de peur et de tension constantes. C'est navrant de voir Alma prisonnière de cette maladie et incapable de s'en dégager. Sa raison lui dit qu'elle veut guérir et mener une vie normale, mais elle ne peut surmonter la peur de prendre du poids. Sa maigreur est devenue sa fierté, sa joie et le principal objectif de sa vie.» *7*

Ces phrases sont extraites de la lettre d'une mère en détresse qui demandait de l'aide pour sa fille de 20 ans qui souffrait d'anorexie mentale depuis cinq ans. À 15 ans, Alma était une fille saine et bien développée. Elle avait eu ses premières règles à 12 ans. Elle mesurait 1,68 m et pesait 55 kg. À cette époque, sa mère l'incita à changer d'école et à fréquenter un établissement dont le niveau était supérieur; elle s'opposa à ce changement. Son père lui conseilla de surveiller son poids; elle adopta cette suggestion avec beaucoup d'empressement et commença un régime strict. Elle perdit rapidement du poids et ses règles cessèrent. Le fait qu'elle puisse être mince lui donnait un sentiment de fierté, de puissance et de plénitude. Elle entreprit également un programme forcené d'entraînement sportif : elle pratiquait la natation au kilomètre, jouait au tennis pendant des heures ou bien se livrait à des exercices de gymnastique jusqu'à épuisement. Aussi bas que descendît son poids, Alma craignait de devenir «trop grosse» si elle reprenait ne serait-ce que quelques grammes. Bien des efforts furent entrepris pour qu'elle reprenne du poids, qu'elle perdait immédiatement, et la plupart du temps elle pesait moins de 32 kg. Un changement sensible se manifesta aussi dans son caractère et son comportement. Auparavant, elle était agréable, obéissante et prévenante. Elle devint de plus en plus exigeante, butée, irritable et arrogante. Les discussions étaient permanentes à propos non seulement de ce qu'elle devrait manger mais également de toutes ses autres activités. *8*

Lorsqu'elle vint en consultation elle ressemblait à un squelette ambulant, sommairement vêtue d'un «dos nu» et d'un short d'où ses jambes dépassaient comme des manches à balai; chacune de ses côtes se voyait et ses omoplates ressortaient comme de petites ailes. Sa mère déclara : «Lorsque je la serre dans mes bras, je ne sens rien que des os; on dirait un petit oiseau apeuré.» Les bras et les jambes d'Alma étaient couverts d'un fin duvet, elle avait le teint jaunâtre et ses cheveux secs pendaient comme des ficelles. Ce qui frappait le plus, c'était son visage, creusé comme celui d'une vieille femme redée, rongée par la maladie, avec des yeux rentrés, un nez à la ligne acérée où l'on distinguait la jointure des os et des cartilages. Lorsqu'elle parlait ou qu'elle souriait – et elle était très gaie – on voyait tous les mouvements des muscles autour de la bouche et des yeux, c'était comme une représentation anatomique animée du crâne. Alma insista sur le fait qu'elle était bien comme cela et qu'il n'y avait rien de mal à ce qu'elle soit aussi maigre. « J'aime avoir cette maladie et je la souhaite. Il m'est impossible de me convaincre que je suis malade et qu'il y a quoi que ce soit dont je veuille guérir. » [9]

L'anorexie mentale est une maladie déconcertante, pleine de contradictions et de paradoxes. Ces jeunes personnes se soumettent volontairement à l'épreuve de la privation de nourriture, allant même jusqu'à en mourir. La peur de la faim est tellement universelle que s'y soumettre volontairement suscite souvent l'admiration, la crainte et la curiosité chez autrui, et c'est ce qu'ont exploité les gens en quête de publicité et les contestataires. Il y a un côté exhibitionniste dans l'anorexie, bien que très peu de filles l'admettent au départ. Au cours du traitement, beaucoup reconnaissent que ce régime cruel était une manière d'attirer l'attention sur elles; qu'elles n'étaient pas sûres que qui que ce soit les aimât vraiment. Les jeunes malades anorexiques déclarent sans se décontenancer : « Si je mange, ma mère ne m'aime plus. » [10]

Encore plus déconcertante que la privation volontaire de nourriture est l'affirmation qu'elles ne souffrent pas de la faim. Au contraire, certaines déclarent catégoriquement qu'elles aiment la sensation de faim, qu'un ventre plat et vide leur donne l'impression d'être en pleine forme, et que lorsqu'elles ont faim elles se sentent plus minces. Il est extrêment difficile d'obtenir des déclarations objectives sur ce qu'éprouvent les anorexiques. Il existe une réelle confusion au niveau de leurs sensations, parce que la privation de nourriture a un effet de désorganisation sur le fonctionnement général et sur les réactions psychologiques. La malnutrition chronique s'accompagne de modifications biochimiques qui, bien qu'insuffisamment étudiées jusqu'ici, influencent de manière très important la réflexion, les sensations et le comportement. [11]

Quelles que soient leurs sensations internes, ou aussi inexactes qu'en soient leur interprétation ou leur description, les anorexiques ne souffrent pas de manque d'appétit, mais d'une peur panique de prendre du poids. Afin d'échapper au sort qu'elles redoutent le plus, celui de « grossir... », elles opèrent un lavage de cerveau (c'est l'expression utilisée par presque toutes les anorexiques) pour modifier leurs sensations. Celles qui connaissent la faim s'entraînent à la considérer comme agréable et souhaitable. Le fait de pouvoir y résister et de se voir devenir de plus en plus mince les rend si fières qu'elles sont prêtes à supporter n'importe quoi. Quelle que soit la souffrance occasionnée, la crainte de ne pas contrôler leur énorme intérêt pour la nourriture est encore plus grande. Le refus de se nourrir, ou le fait de ne pas se permettre de manger considéré comme une sorte d'autopunition, constitue un moyen de défense contre la première de leurs craintes : celle de trop manger, de ne pas contrôler leurs pulsions biologiques et de s'y abandonner. [12]

Tout aussi étonnante, impressionnante même pour l'observateur, est la détermination inflexible avec laquelle les anorexiques poursuivent leur visée de maigreur, non seulement par la restriction de nourriture, mais aussi par la pratique d'exercices épuisants. La plupart s'intéressent aux sports avant leur maladie et participent aux activités sportives de leur groupe, mais pendant leur maladie les exercices deviennent solitaires et ils ne sont qu'une façon d'éliminer des calories ou de faire preuve d'endurance. En dépit de la faiblesse qui accompagne une aussi forte chute de poids, les anorexiques se contraignent à d'incroyables exploits pour démontrer qu'elles vivent selon l'idéal de «l'esprit maître du corps». Cora se mit à la natation, augmentant de jour en jour la distance parcourue; pour finir, elle y passait de cinq à six heures. En outre, elle jouait au tennis pendant plusieurs heures, courait au lieu de marcher quand elle le pouvait, et elle devint experte en escrime. Elle travaillait également pendant de nombreuses heures à ses tâches scolaires afin d'obtenir les meilleurs résultats. Elle s'affairait pendant vingt et une heures, réduisant son temps de sommeil à trois heures. Quand elle commença à venir en consultation, elle nia d'abord, mais beaucoup plus tard elle admit que pendant tout ce temps-là, elle avait aussi affreusement faim. Mais elle éprouvait tant de fierté à supporter sa faim qu'elle arriva à en aimer la sensation. *13*

Beaucoup plus tard, elle décrivit comment durant cette période de privation draconienne de nourriture, toutes ses expériences sensorielles, notamment visuelles et auditives, gagnaient en intensité. Elle se sentait mieux la nuit que le jour, lorsque la lumière et le bruit autour d'elle étaient trop intenses. Le jour, elle vaquait à ses activités, comme aller à l'école et faire du sport, et la nuit elle étudiait quand il faisait bon et frais et que le calme régnait. De bien des manières, ces filles se traitent comme si elle étaient des esclaves à qui l'on refuse tous les plaisirs et toutes les jouissances, à qui l'on donne un minimum de nourriture et que l'on contraint à travailler jusqu'à l'épuisement physique. Un malade (garçon de 23 ans), pour tester sa capacité à se discipliner, entreprit un régime anorexique durant sa dernière année à l'université. Quand il commença à se sentir faible et qu'il se rendit compte que son corps perdait de sa vitalité, il augmenta le nombre de ses kilomètres de course pour s'assurer qu'il n'était pas paresseux. *14*

Le besoin de rester aussi mince que possible est si grand que les anorexiques utilisent tous les moyens, bons ou mauvais, pour que leur poids reste faible. Dans leur effort pour éliminer toute nourriture superflue, beaucoup en viennent à se faire vomir, ont recours aux lavements ou à un usage excessif des laxatifs ou des diurétiques. Tout ceci peut aboutir à des troubles sérieux de l'équilibre hydroélectrolytique qui peuvent entraîner une issue fatale. *15*

Mais quels que soient les moyens utilisés pour atteindre la maigreur, ou quelles qu'en soient les raisons, le comportement typique de l'anorexique est lié pour une large part au fait que c'est un organisme privé de nourriture. Dans les descriptions classiques de l'anorexie mentale, on a mis l'accent principalement sur les conséquences physiques de la sous-nutrition, la forte chute de poids, l'apparence squelettique, l'anémie, la sécheresse de la peau, l'apparition d'un fin duvet sur le corps, l'arrêt des règles, la basse température du corps et le faible métabolisme basal. Ces dernières années, des études détaillées ont révélé de nombreux troubles du fonctionnement des systèmes nerveux et endocrinien. On s'est attaché au problème de savoir si ces troubles neuro-endocriniens sont la cause ou la conséquence de l'anorexie mentale. Il semble que tous les troubles décrits jusqu'ici peuvent s'expliquer comme des conséquences de la malnutrition. *16*

Le comportement des malades anorexiques ressemble de bien des manières à celui des autres individus privés de nourriture. Durant les années tragiques de la seconde guerre mondiale, des populations entières se sont trouvées privées de nourriture et on a beaucoup appris sur les effets psychologiques de la famine. Les malades anorexiques répugnent à parler de leur expérience de la faim, du moins au début du traitement. Leur comportement bizarre vis-à-vis de la nourriture semble beaucoup se rapprocher de ce qu'on a observé chez les autres individus privés de nourriture, sauf en ce qui concerne le refus provocant d'avouer leur faim et la répétition obstinée du «je n'ai pas besoin de manger». Comme les autres individus privés de nourriture, les anorexiques se préoccupent sans cesse de nourriture et de manger, elles ne parlent que de cela, elles portent un intérêt excessif aux pratiques culinaires et elles prennent souvent la cuisine en main. Cependant, elles-mêmes ne mangent pas mais forcent les autres à manger. *17*

Les parents de Cora avaient eu du mal à admettre que leur fille chérie et brillante puisse être malade et avoir besoin de traitement. Finalement, ils ont demandé de l'aide parce que son comportement nuisait au bon fonctionnement de la vie familiale. Elle se levait de bonne heure le matin pour préparer un énorme petit déjeuner et elle ne permettait pas à ses jeunes frères et soeurs de partir à l'école avant d'avoir avalé le dernier morceau. Dans une autre famille, la fille de 15 ans se mettait à confectionner gâteaux et galettes en retrant de l'école et elle ne permettait pas à ses parents de se coucher avant d'avoir tout mangé. Finalement, ce qui provoqua une réaction, ce fut l'inquiétude de la mère concernant son propre poids : elle grossissait sous la contrainte de sa fille. *18*

Ce qu'on a appelé le «comportement anorexique», comme s'il était particulier à l'anorexie mentale (par exemple le souci obsessionnel et permanent de nourriture, la préoccupation narcissique de soi-même, la régression infantile), est identique à ce qui se produit dans le cas d'une privation de nourriture ayant des causes extérieures. La grande différence est, évidemment, que l'individu victime du manque de nourriture mange tout ce qu'il trouve. Au contraire, l'anorexique se prive de nourriture, quelle que soit la forme contournée que prend cette privation, au milieu de l'abondance, comme si un dictateur interne l'empêchait de satisfaire ses besoins ou la forçait à repoursser la nourriture qui lui est constamment offerte et accessible. Ceci donne à la préoccupation qu'a l'anorexique de la nourriture un caractère particulier d'étrangeté et de folie. *19*

Lorsque Gertrude avait 17 ans, on lui avait fait prendre du poids par la méthode de modification du comportement et elle protestait avec véhémence : «Je me sentais pitoyable et dégoûtée avec ce nouveau corps tout empâté. Je voulais m'en débarrasser d'un coup, maigrir aussi vite que possible. Je ne pensais à rien d'autre; ma vie, mon objectif précis, mon contrôle de moi-même, tout était brisé.» Beaucoup plus tard, lorsqu'elle commença à accepter avec sérénité sa taille normale, elle parla de l'horreur de la période de privation. «C'est comme lorsque vous vous forcez à faire quelque chose qui ne vient pas naturellement. Durant cette période de privation, je me suis soumise à un régime que je trouvais très déplaisant, mais je l'ai supporté parce que je me l'étais imposé.» C'était là une déclaration plutôt étonnante parce qu'elle avait fait preuve de plus de violence qu'aucune autre anorexique de ma connaissance pour défendre son droit à peser le poids qu'elle voulait; personne ne pouvait lui imposer un poids «correct». *20*

Lorsqu'elle dépassa les 40 kg, elle s'inquiéta de ce qu'elle pourrait prendre trop de poids; elle voulait aussi sortir du cycle boulimie-vomissement qui réglait ses journées. Un nutritionniste l'aida à calculer un régime sain qui l'empêcherait de prendre trop de poids. Pour plus de sûreté, elle n'en prit que la moitié et, évidemment, elle perdit assez rapidement du poids. Lorsqu'elle fut descendue à 38 kg, elle commença à s'émouvoir des changements psychologiques qui accompagnaient sa chute de poids. Elle souffrait de l'hyperacuité de tous ses sens et un état permanent de tension l'empêchait de se concentrer et même d'être aimable en société. Elle admit qu'il s'opérait une désorganisation de l'ensemble de sa pensée quand son poids descendait au-dessous d'un certain seuil. *21*

À 15 ans, quand le poids de Gertrude enregistra une forte baisse, un curieux changement s'opéra au niveau de sa capacité à penser : *22*

«Mes processus de pensée perdirent tout réalisme. Je sentais que je devais faire, dans un but supérieur, quelque chose que je ne voulais pas faire. Ce sentiment domina ma vie. Tout se dérégla. Je me créai une nouvelle image et je m'imposai une nouvelle manière de vivre. Mon corps devint le symbole visuel de l'ascétisme et de l'esthétique à l'état pur, le symbole d'un être pour ainsi dire intouchable, invulnérable à la critique. Tout ce que je vivais prit un caractère de grande intensité et de fort intellectualisme, mais était absolument intouchable. Si vous vous complaisez dans l'état de la personne qui ne mange pas et qui veille toute la nuit, alors il vous est impossible de reconnaître que vous vous sentez malheureuse ou que vous avez faim. La faim a un effet semblable à celui d'une drogue, et vous vous sentez entérieur à votre corps. Vous êtes vraiment hors de vous-même, et vous vous trouvez alors dans un état de conscience différent, vous pouvez souffrir sans réagir. C'est ce que j'ai fait avec la faim. Je savais qu'elle était là – je m'en souviens, je peux la conscienciser – mais à cette époque je ne souffrais pas. C'était comme si je m'étais mis en état d'hypnose. Pendant longtemps je n'ai pas pu en parler parce que j'avais peur qu'elle disparaisse. » *23*

Elle avait lu beaucoup de choses sur la malnutrition, et elle savait qu'on avait établi un rapport entre les visions qu'avaient les gens au Moyen Âge et la malnutrition chronique. Elle n'avait pas de visions mais « tout était intolérablement brillant ». La négation de sa faim n'était pas de la simulation; c'était un processus inconscient. « Je me défendais violemment de ne pas souffrir de la faim, mais j'étais vraiment malheureuse. J'en éprouve maintenant une telle terreur que j'y pense avec une horreur presque physique. La souffrance que j'ai endurée à cause de la faim est maintenant gravée dans ma mémoire et je ne pourrais jamais imaginer de recommencer. » *24*

Toutes les malades avec lesquelles j'ai travaillé et qui sont arrivées au stade où elles reconnaissent l'intérêt d'avoir une taille mormale, toutes celles qui ont admis que leur problème doit être résolu de façon réaliste, et non par la privation de nourriture et la maigreur excessive, parlent avec horreur et angoisse des souffrances engendrées par la privation. On ne peut considérer qu'une malade anorexique n'encourt plus le danger d'une rechute tant qu'elle n'a pas honnêtement parlé de la terreur de la privation et de l'impossibilité de recommencer. *25*

Hilde Bruch

L'énigme de l'anorexie

extrait du livre de Hilde Bruch

A. Compréhension du texte

Paragraphe 1

1. Qu'est-ce que l'anorexie? Relevez les mots clés de la définition qui en est donnée.
2. Quels types de familles l'anorexie semble-t-elle toucher tout particulièrement?

Paragraphe 2

3. Comment l'auteur assure-t-il le lien entre le premier et le deuxième paragraphe? Relevez les mots et les phrases du deuxième paragraphe qui permettent une certaine redondance par rapport au premier.

Paragraphe 3

4. L'auteur revient sur quelques idées qui ont déjà été présentées. Quels sont ces éléments de répétition?
5. Pourquoi faut-il appeler l'anorexie une maladie nouvelle?
6. « On pourrait parler d'épidémie ». Trouvez dans ce paragraphe d'autres mots appartenant au même champ lexical.

Paragraphe 4

7. Relevez les éléments de répétition par rapport au paragraphe précédent.
8. À quelle question ce paragraphe répond-il?
9. Quel est le contraire de « minceur »?

Paragraphe 5

10. Qu'est-ce qui assure la cohésion entre les paragraphes 5 et 6?
11. Que revendiquent les femmes?
12. Par quel autre terme désigne-t-on souvent cette revendication?
13. Quel exemple l'auteur donne-t-il de cette libération?
14. Comment cette libération de la femme peut-elle comporter des risques et des dangers pour la jeune fille? Relevez les phrases clés.

Paragraphe 6

15. Relevez les mots ou les phrases qui constituent une répétition de « l'élévation du taux d'occurrence ».

16. Les cas d'anorexie mentale augmentent. Quelles sont les conséquences de cette augmentation?
17. Que signifie « anorexie » au sens propre et pourquoi le terme est-il inexact?

Paragraphe 7

18. On parle d'un autre aspect de cette maladie. Quel est-il?

Paragraphe 8

19. Quelle est la fonction de ce paragraphe dans le contexte global du texte?
20. Relevez deux séries d'adjectifs qui permettent de voir le changement radical dans le comportement de cette jeune fille.

Paragraphe 9

21. Relevez les détails qui mettent l'accent sur la maigreur de la jeune fille.

Paragraphe 10

22. Quelle est la phrase clé de ce paragraphe?
23. Précisez en quoi consiste ce côté exhibitionniste.

Paragraphes 11, 12

24. Avons-nous des renseignements sur les sensations des anorexiques?
25. Quelles hypothèses a-t-on avancées pour expliquer ce contrôle rigide exercé sur les sensations?

Paragraphe 13

26. Quelles sont les deux façons dont les anorexiques montrent leur « détermination inflexible »?
27. Comment les anorexiques expliquent-elles une telle activité outrancière?

Paragraphe 14

28. À quoi pourrait-on comparer l'autopunition de ces filles?

Paragraphe 15

29. Comment font les jeunes filles pour éliminer toute nourriture superflue?

Paragraphe 16

30. Citez les symptômes physiques de l'anorexie.
31. Les conséquences sont-elles seulement physiques?

Paragraphe 17

32. Le comportement des anorexiques est analogue à celui d'une certaine catégorie sociale. Laquelle? Comment?

Paragraphe 18

33. Est-ce que l'anorexique est la seule à souffrir?
34. Trouvez un substitut pour le verbe «préparer».
35. Quel est le verbe qui signifie le contraire de «perdre du poids».

Paragraphe 19

36. Quel est le mot clé de ce paragraphe?
37. Trouvez l'expression du paragraphe qui reprend ce mot clé.
38. Trouvez un substitut pour le verbe «se priver de».

Paragraphe 20

39. Donnez un synonyme d'«empâté».

Paragraphe 21

40. Que faut-il entendre par le cycle «boulimie-vomissement»?
41. Donnez un synonyme de «seuil».

Paragraphes 22, 23, 24

42. «Mes processus de pensée perdirent tout réalisme». Relevez les phrases du texte qui illustrent cette déclaration.

Paragraphe 25

43. Quelle semble être la seule façon de sortir de l'anorexie mentale?

B. Analyse sociolinguistique

1. Qui écrit cet article?
2. Pourquoi Hilde Bruch écrit-elle ce texte? Réfléchissez à la *fonction* de ce texte. Si le lecteur veut connaître «ce que dit de faire» le scripteur, c'est le repérage de *modalités pragmatiques*. S'il veut connaître l'opinion de l'auteur, il aura recours au repérage des *modalités appréciatives*. (Sophie Moirand, *Situations d'écrit,* p. 64)
   Rémplissez ce tableau avec des exemples pris dans le texte.

Modalités pragmatiques	*Modalités appréciatives*

3. Qu'est-ce qui a incité Hilde Bruch à écrire ce texte?
4. Pour qui écrit-elle? À quel type de public son texte s'adresse-t-il?
5. Quel est le statut de son message dans la société de nos jours?
6. Voyez-vous des similarités entre l'article de Hilde Bruch et un document médical? Sur quels points s'établit la comparaison?

C. Étude de langue

I.

Faites la liste des termes techniques médicaux.

II.

Relisez le texte en examinant *les formulations linguistiques* ayant trait à :

a. *l'exposition* (par ex. « À travers une centaine de cas... Hilde Bruch nous montre que... »)
b. *la description* (par ex. « Le principal symptôme est... La maladie fut décrite... »)
c. *la définition* (par ex. « l'anorexie, c'est-à-dire... , si l'on ose dire. »)
d. *l'explication* (par ex. « Il faut savoir en effet que... Superficiellement... en effet. »)
   Établissez des fiches pour chacune des catégories ci-dessus.

III.

Le texte de Hilde Bruch offre au lecteur plusieurs exemples de créativité lexicale à partir des préfixes.

a. *l'autodestruction* — la destruction infligée par soi-même. *auto* — préfixe. Elément, du gr. *autos;* « soi-même, lui-même », *opposé* à un autre. L'élément *auto-* reste invariable. (Petit Robert).
b. Que signifie le préfixe « hyper- »? Définissez : hyperacuité, hypersensibilité
c. *in-* élément négatif, du latin *in-*, (*im-* devant *b, m, p; il-* devant *l, ir-* devant *r*) (Petit Robert).
   Donnez le contraire de chacun des termes suivants en vous servant du préfixe qui convient.

1. vulnérable
2. touchable
3. régulier
4. logique
5. probable
6. exact
7. tolérablement
8. suffisamment
9. efficace
10. volontaire
11. flexible
12. buvable

IV.

a. Repérage formel de l'organisation du texte. Regardez attentivement la première phrase de chaque paragraphe du texte. Relevez *les articulateurs rhétoriques* (par ex. « d'abord », « ensuite », « finalement ».)

b. Préparez un schéma mettant en lumière l'architecture du texte, par ex.

définition de l'anorexie

la maladie n'est pas nouvelle
2, 3

en quoi consiste sa nouveauté
4

causes de la maladie
5,6

À vous de continuer...

V.

a. Remplacez les tirets par le mot ou l'expression qui convient en faisant tous les changements qui s'imposent.

atteint	courante
le symptôme	la peau
la privation de nourriture	aisé
la minceur	une chute de poids
creuse	la maigreur
le teint	squelettique
le taux d'occurrence	la nourriture

i. La ______________ est la cause de cette ______________ excessive ou ______________________ qui caractérise toutes les jeunes filles ______________ d'anorexie mentale. Aujourd'hui, c'est une maladie ______________ dont ______________ s'élève tous les jours. Elle frappe surtout les jeunes filles de milieux ______________ . Les ______________ en sont facilement reconnaissables : le refus de toute ______________ ce qui produit ______________ assez considérable et donne à la jeune personne une apparence ______________ , un ______________ jaunâtre, un visage ______________ et la ______________ sèche.

ii.

l'alimentation	l'obésité
un régime	le pouvoir
résister	la pression
outrancière	le comportement
un traitement	la mode
un usage	l'épuisement
grosse	

La ______________ exercée par la ______________ joue un rôle important dans la modification du ______________ des malades. Pour se garder contre ________________, pour ne pas ressembler à ces ________________ femmes qui ne peuvent plus ________________ la nourriture, les anorexiques suivent un ________________ très strict, et contrôlent leur consommation de ________________. En plus d'une activité physique ________________ qui produit souvent ________________ total de l'organisme, elles font souvent un ________________ excessif de laxatifs et de diurétiques. Fières du ________________ qu'elles ont sur leur corps, elles refusent tout ________________ medical.

b. Trouvez dans la liste ci-dessous la locution qui traduit l'expression entre parenthèses. Faites tous les changements nécessaires.

pour plus de sûreté
se sentir mal à l'aise
être sur la bonne voie
l'air du temps
mettre l'accent sur
l'esprit maître du corps
se mettre à table
en récompense
être bien dans sa peau
sur le vif
vouloir attraper la lune
veiller toute la nuit
les pays en voie de développement
en augmentation
un lavage de cerveau
un programme d'entraînement sportif

1. Quand une femme est (happy with herself) ________________ elle est contente et épanouie.
2. Perdre du poids n'est pas impossible, mais vouloir perdre vingt livres en une semaine, c'est (reaching for the impossible) ________________ .
3. Vous n'avez pas encore atteint votre mais (you're on the right track) ________________ .
4. Si vous acceptez de me rendre ce service, que voulez-vous que je vous donne (in return) ________________ ?
5. Il est normal de (feel ill at ease) ________________ à une reception où on ne connaît personne.
6. Je sais que nous avons réservé notre table à l'Auberge la semaine dernière, mais (just to be sure) ________________ je vais rappeler le maître d'hotel avant de partir.
7. Vous avez tout juste le temps de vous laver les mains avant de (to sit down to dinner) ________________ .
8. Au moment des examens, les étudiants ont souvent l'habitude de (to stay up all night) ________________ pour se préparer.

9. Être mince et en bonne forme fait partie de (to-day's image) ________________ .
10. Peindre (from life) ________________ , c'était la grande nouveauté des peintres impressionnistes.
11. Il est de notre devoir d'humanitaires de prêter secours aux (developing countries) ________________ .
12. Dans son discours il (stressed) ________________ le rôle que le gouvernement aurait à jouer dans la résolution du conflit.
13. Les statistiques montrent que le nombre de cas d'anorexie mentale est (rising) ________________ .
14. Souvent les anorexiques prennent comme devise (mind over body) ________________ .
15. Si vous voulez retrouver la souplesse de votre jeunesse, inscrivez-vous à un (sports training program) ________________ .
16. La publicité est un des moyens par lequel se fait (brain-washing) ________________ des consommateurs.

VI.

Exercices de rédaction

1. De nos jours on propose beaucoup de régimes « miracle » : des régimes à la pizza, ou au hamburger, aux hot-dogs ou aux bananes, au pain blanc ou aux pamplemousses, le régime de protéines liquides, le « 9-day wonder diet », le « Charmed life diet », le « Three week 555 diet ».

   Choisissez-en deux qui vous intéressent et faites un exposé à la classe en expliquant les avantages et les désavantages de chacun.
2. « À l'ère de Jane Fonda, de la danse aérobique et du body building, être maigre devient une obligation sociale et culturelle. Un signe extérieur de richesse. » (Yanick Villedieu, déc. 1983). Discutez.
3. Y a-t-il un lien entre le « stress » et l'obésité? Quel est votre point de vue?

Bébés éprouvettes : des enfants bien ordinaires

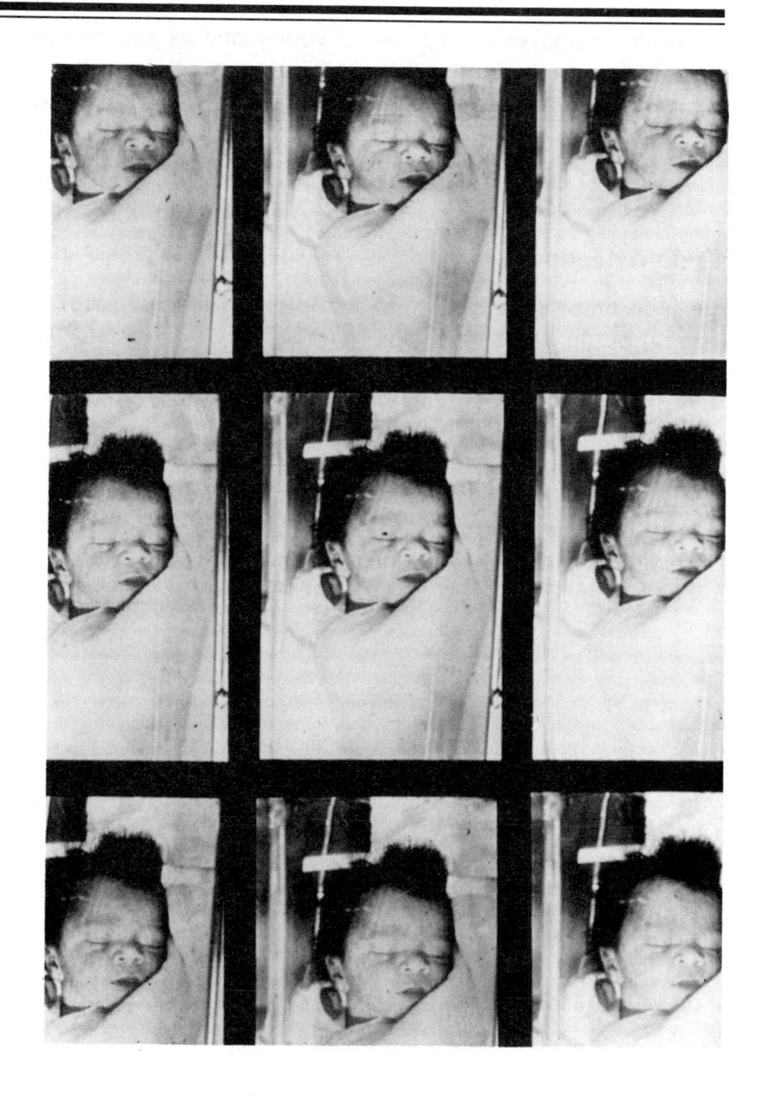

La manchette, il ne l'aura guère faite qu'au pays, le premier bébé éprouvette *made in Canada*. À sa naissance à Vancouver, au début de l'année, il avait déjà plus de 300 cousins et cousines éprouvettes de par le monde. 1

La plus célèbre, la première, s'appelle Louise Brown. Elle est anglaise, elle a cinq ans et demi et elle se porte à merveille. Elle est l'aînée – c'est de famille – d'un autre bébé éprouvette. Ses «pères techniques», les docteurs Patrick Steptoe et Robert Edwards, ont d'ailleurs atteint en novembre dernier le cap des 100 naissances (56 filles et 44 garçons), et 150 grossesses du même tabac étaient alors en cours dans leur clientèle. 2

La recette est maintenant bien connue. On stimule l'ovulation par traitement hormonal. On recueille sous anesthésie générale plusieurs ovules d'un seul coup. Quelques heures plus tard, on met ovules et spermatozoïdes dans l'éprouvete. On observe la fécondation, puis on «cultive» les embryons pendant un peu moins de 48 heures. Chaque oeuf fécondé se divise en deux, puis quatre cellules. On transfère le tout dans l'utérus maternel, en espérant qu'il y aura implantation. C'est ce que les Français appellent joliment la FIVETE, pour «fécondation *in vitro* et transplantation embryonnaire». Taux de succès : 15 à 20 p. cent dans les meilleures cliniques. 3

«Ce n'est pas si mal quand on pense que la nature ne fait guère mieux que 20 à 30 p. cent», dit le Dr Raymond Lambert, chef du laboratoire de biologie de la reproduction au Centre hospitalier de l'université Laval. 4

La FIVETE n'est qu'un moyen de contourner l'infertilité féminine d'origine «tubaire» (quand les trompes de Fallope, ces petits tubes qui relient les ovaires à l'utérus, sont obstruées ou détruites). Or, la stérilité tubaire a grimpé en flèche au cours des dernières années. On incrimine les infections des trompes, parfois d'origine vénérienne mais souvent causées par le stérilet, qui porte peut-être trop bien son nom. Sans parler, bien sûr, de la ligature des trompes, qui devient de l'infertilité quand on se met à la regretter. 5

C'est donc par milliers qu'on compterait les candidates à la grossesse éprouvette. Quatre cent quarante mille aux États-Unis, selon la très sérieuse revue *Science*, soit 36 000 par année. Cinquante mille au Canada (et 4000 par année) selon le Dr David Armstrong, de l'université Western Ontario. À plus de 5500 dollars américains la tentative, couronnée de succès ou pas, le «marché» a quelque chose de fabuleux. Aux États-Unis, on parle déjà d'une quarantaine de cliniques à bébés éprouvettes d'ici la fin de l'année. De huit au Canada, dont deux à Montréal et une à Québec. 6

Il faut donc s'attendre à un véritable *test-tube baby boom*. Et du même coup à une banalisation de la fécondation *in vitro*. Il y a deux mois, au congrès de la Fédération internationale de fertilité et de stérilité, un médecin autrichien présentait une technique de FIVETE sans anesthésie, réalisable au cabinet du médecin. De son côté, le Dr Steptoe soulignait qu'aucune grossesse éprouvette n'avait été menée à terme chez des femmes de plus de 40 ans; son conseil : venez nous voir tôt, au lieu d'envisager le bébé éprouvette comme un dernier recours. *7*

Le congélation d'embryons devient réalité. En Australie, une première grossesse venant du froid s'est terminée, le printemps dernier, par une fausse couche; mais une autre grossesse a été annoncée en novembre. But de la congélation : transférer l'embryon non pas deux jours après le prélèvement des ovules, mais plusieurs mois plus tard, quand la mère est en pleine forme. Conséquences possibles (entre autres) : on peut transférer un embryon chez une porteuse autre que la donneuse (l'enfant aura-t-il alors **deux mères, ou même trois** si la porteuse est une «mère substitut» qui remet l'enfant après sa naissance à une tierce personne?) On peut aussi donner, et pourquoi pas vendre, un embryon, donc éventuellement l'adopter (devra-t-on écrire les règles de l'adoption «prénatale»?). *8*

Pourtant, le bébé éprouvette n'est qu'une étape, un premier pas. Déjà, on peut couper en deux un embryon de quelques cellules et obtenir deux embryons jumeaux. Le pionnier de la fécondation *in vitro,* le Dr Edwards, le fait. On étudie une des deux «moitiés» et transfère l'autre si tout est correct. On peut ainsi éliminer un embryon qui présenterait une «anomalie» (mais qu'est-ce qu'une «anomalie»?) ou, plus simplement, qui ne serait pas su sexe désiré. On se demande aussi quoi faire avec les embryons «de trop». Bien sûr, on en transfère toujours deux ou trois, ce qui augmente les chances de réussite et donne rarement des grossesses multiples. Mais les autres? Peut-on les détruire? Les garder à des fins expérimentales? Les cultiver plus longtemps, comme en Angleterre où on a réussi à garder un embryon dans son éprouvette pendant 14 jours? On peut aussi utiliser l'embryon à des fins médicales, comme source de cellules pour des greffes de moelle osseuse, de tissu cardiaque, de pancréas... Des hypothèses futuristes qui nous emmènent loin du bébé éprouvette? «Pas vraiment, répond sans ambages le Dr Lambert. Revenez nous voir dans un an ou deux...» *9*

Yanick Villedieu

Bébés éprouvettes : des enfants bien ordinaires

Yanick Villedieu

A. Compréhension du texte

1. Qu'y a-t-il dans le titre qui attire l'attention du lecteur?
2. Donnez un terme équivalent pour «d'ici» dans la locution «D'ici quelques années».

Paragraphe 1

3. Que veut dire «faire la manchette»?
4. Le premier bébé éprouvette est-il né au Canada?
5. À l'époque où l'article a été écrit, combien y avait-il de bébés éprouvettes au monde?

Paragraphe 2

6. Comment ce deuxième paragraphe est-il relié au premier?
7. Dans quel pays est né le premier bébé éprouvette?
8. Que faut-il entendre par «les pères techniques»?

Paragraphe 3

9. Quel est le mot clé de ce paragraphe?
10. Faites la liste des verbes qui décrivent les différentes étapes de ce processus.
11. Quels sont les «ingrédients» de cette recette?
12. Que représente le sigle FIVETE?
13. Relevez l'expression du texte qui veut dire «les chances de réussir».
14. Que montrent les statistiques?

Paragraphe 4

15. Trouvez l'équivalent français de «scarcely».
16. Les médecins semblent-ils satisfaits du taux de succès?

Paragraphe 5

17. Quel est le mot clé de ce paragraphe?
18. Quelle est, selon vous, la fonction de ce paragraphe?
19. Soulignez les trois causes principales de la stérilité tubaire.
20. Donnez un synonyme de «stérilité».

Paragraphe 6

21. Quel est le mot clé de ce paragraphe?
22. Y a-t-il un marché pour la grossesse éprouvette?
23. Relevez les mots du texte formés à partir des termes suivants :
    gros
    tenter

Paragraphe 7

24. Trouvez la phrase qui résume le contenu de ce paragraphe.

Paragraphe 8

25. Comment ce paragraphe se relie-t-il au précédent?
26. Quel est le mot clé de ce paragraphe?
27. Quelles sont les conséquences possibles?
28. Qu'est-ce que l'auteur entend par une «mère substitut»?
29. Relevez le mot ayant le sens de «troisième».
30. Comme conséquences de la congélation, on peut prévoir la possibilité qu'un enfant ait _______________ .

Paragraphe 9

31. Quelle est l'étape ultérieure?
32. Quel semble être l'intérêt de ce processus?
33. Que peut-on faire avec les embryons «de trop»?
34. Trouvez les expressions du texte qui veulent dire :
    a. for medical purposes
    b. bone marrow transplants
35. Est-ce que les hypothèses futuristes se situent dans un avenir proche ou lointain?

B. Analyse sociolinguistique

1. À quel type de lecteur ce texte s'adresse-t-il?
2. Quelle est la fonction de ce texte? Justifiez votre réponse.
3. De quel type de texte s'agit-il? (par ex. texte médical technique, texte de vulgarisation médicale, etc.) Citez des exemples à l'appui de votre réponse.
4. Relevez tous les anglicismes. Quel rôle jouent-ils dans l'ensemble du texte?
5. Quel est le ton de ce texte?

C. Étude de langue

I.

Vous êtes chargé(e) de la rubrique «santé» de votre journal. Rédigez un article de quelques lignes par lequel vous mettez vos lecteurs au courant d'une nouvelle découverte médicale. Votre texte doit fournir la réponse aux questions suivantes : qui, quoi, où (les indications de lieu où cela est arrivé), quand (le moment), comment (la manière dont l'action a été accomplie). Ensuite, partagez le produit de votre imagination avec vos camarades : un(e) étudiant(e) donne le nom de l'inventeur (qui), un(e) deuxième ajoute à cela l'invention qui fait le sujet de son article (quoi), un(e) troisième fournira sa réponse à la question « comment », etc.

II.

A. Choisissez l'expression qui convient dans chacun des cas données.

a. Votre chien a dix ans, mange avec appétit et chasse tous les chats du quartier. Quand on vous pose des questions sur son état de santé, vous répondez que :
   i. il court toujours le jupon
   ii. il se meurt
   iii. il se porte à merveille

b. Tous les enfants Brown ont les cheveux chatain clair et les yeux verts. Quand on les interroge sur ces traits distinctifs ils répondent tout simplement que :
   i. c'est de famille
   ii. c'est la fin du monde
   iii. c'est donné

c. Les ventes d'une grande société augmentent très rapidement. On pourrait même dire qu'elles :
   i font de bonnes affaires
   ii. grimpent en flèche
   iii. font des étincelles

d. Si je n'arrive pas à les rejoindre ce soit, je vais envoyer un télégramme demain matin. Ce sera
   i. mon passe-temps
   ii. mon violon d'ingres
   iii. mon dernier recours

e. Quand une femme n'arrive pas à mener sa grossesse à terme, on dit que :
   i. elle a fait faillite
   ii. elle a fait une fausse couche
   iii. elle a découché

f. L'athlète a surmonté tous les obstacles et a remporté la victoire. Ses efforts :
   i. ont eu du succès
   ii. ont été couronnés de succès
   iii. ont été un jeu à succès

g. Mon camarade de chambre me parle encore de ses vacances à la mer. C'est toujours :

i. le même tabac
ii. de fil en aiguille
iii. la puce à l'oreille

h. On lit la nouvelle à la une de tous les journaux. C'est-à-dire que l'histoire :
   i. a fait la manchette
   ii. circule
   iii. n'a pas d'intérêt

B. Expliquez dans quel contexte on emploierait les autres expressions présentées dans l'exercice ci-dessus.

III.

Trouvez le mot qui précède les quatre expressions suivantes :

a. ________________ son côté
b. ________________ même coup
c. ________________ un seul coup
d. ________________ ici la fin de l'année

IV.

Dans le graphisme ci-dessous, trouvez tous les mots qui peuvent être formés avec les lettres données.

Seule contrainte: Tous les mots doivent commencer en co-. Vous pouvez utiliser la même lettre deux fois si besoin est. N'oubliez pas d'ajoutez les accents qui manquent.

```
  T
COURSEX
  E P
```

Barème	11 mots ou plus	excellent
	8 mots	bon début
	6 mots	vous êtes sur la bonne piste
	4 mots	bon courage !

V.

Donnez l'adjectif qui correspond aux termes suivants.

a. une mère
b. l'hôpital
c. un tube
d. la banalisation
e. l'Autriche
f. réaliser

VI.

Les mots suivants : tube, tuyau, trompe, métro, télévision se traduisent tous en anglais par «tube». Remplacez les tirets par le mot qui convient au contexte. Faites tous les changements nécessaires.

1. Pour traverser Montréal rapidement, à peu de frais, on prend ________________ .
2. L'infertilité chez certaines femmes s'explique par la ligature de ________________ .
3. Il y a une fuite dans ________________ ; l'eau dégouline chez moi.
4. Vous avez trouvé le truc pour faire sortir toute la pâte ________________ de dentifrice.
5. Puisque la nouvelle saison ne commence que dans huit jours, on repasse les vieux films à la ________________ .

VII.

Quelle est la valeur de la préposition «à» dans les locutions suivantes :

a. des cliniques à bébés éprouvettes
b. à des fins médicales
c. à des fins expérimentales

Connaissez-vous d'autres expressions formés sur le même modèle? Faites-en la liste.

VIII.

Donnez l'équivalent français de :

a. a doctor's office
b. a miscarriage
c. a surrogate mother
d. a donor
e. a bearer
f. an abnormality

IX.

«Deux enfants sont nés à Madame Tremblay». Donnez trois autres formulations de cette même idée.

X.

Mettez en anglais les phrases suivantes prises dans le texte, en soignant particulièrement la traduction des parties soulignées.

1. Aux États-Unis, on parle déjà d'une quarantine de cliniques à *bébés éprouvettes d'ici la fin de l'année*. De huit au Canada, *dont* deux à Montréal et une à Québec.

2. On se demande aussi *quoi faire* avec les embryons «*de trop*».
3. On peut aussi utiliser l'embryon à *des fins médicales,* comme source de cellules pour *des greffes de moelle osseuse,* de tissu cardiaque, de pancréas.

XI.

En vous servant de la formule d'une recette [donc, abondance d'impératifs, de locutions de temps (quand) et de manière (comment)], décrivez les éléments et les processus qu'il faudrait pour créer (fabriquer?) l'être humain parfait. N'oubliez pas d'utiliser le vocabulaire de base du texte : un bébé éprouvette, un prélèvement, recueillir, la grossesse, une anomalie, une greffe, la reproduction, l'embryon, la fécondation, la FIVETE, etc.

XII.

I	II	III
l'aînée	déclencher	ne guère
le bébé éprouvette	s'annoncer	d'ici la fin de l'année
la grossesse	stimuler	d'ici quelques années
la clientèle	se diviser	d'un seul coup
la fécondation	grimper	de son côté
la tentative	s'attendre à	du même coup

À partir de la matrice ci-dessus, fabriquez des phrases drôles (ou sérieuses) qui serviront de point de départ à une histoire. Nous empruntons l'exemple suivant au livre de J.M. Caré et F. Debyser *Jue, Langage et créativité* (Hachette/Larousse, Paris, 1978.) p. 142.

l'armoire	avoir froid
le chien	voler
l'oiseau	tousser
la fleur	laisser tomber en morceaux
la grenouille	partir
l'écureuil	avoir peur

«L'armoire a froid» a donné le récit suivant :

«L'armoire a froid, elle est très malheureuse; le chien est parti, il a laissé la porte de l'armoire ouverte, il a ouvert la fenêtre et maintenant il vole; maintenant il fait très froid et l'armoire est malade; elle est vieille, elle a peur de tousser parce qu'elle va peut-être tomber en morceaux; l'armoire va mourir...»

XIII.

Exercices de rédaction

1. «On peut aussi donner, et pourquoi pas vendre, un embryon, donc éventuellement l'adopter (devrait-on écrire les règles de l'adoption «prénatale»?)» Quelles sont vos réactions envers ces conséquences possibles de la congélation d'embryons?
2. «Déjà on peut couper en deux un embryon de quelques cellules et obtenir deux embryons jumeaux (. . .) On étudie une des deux «moitiés» et transfère l'autre si tout est correct. On peut ainsi éliminer un embryon qui présenterait une «anomalie» (mais qu'est-ce qu'une anomalie?) ou plus simplement, qui ne serait pas du sexe désiré. On se demande aussi quoi faire avec les embryons «de trop». Quelle serait votre solution au dilemme moral qui se pose au Dr. Edwards?

La déprime

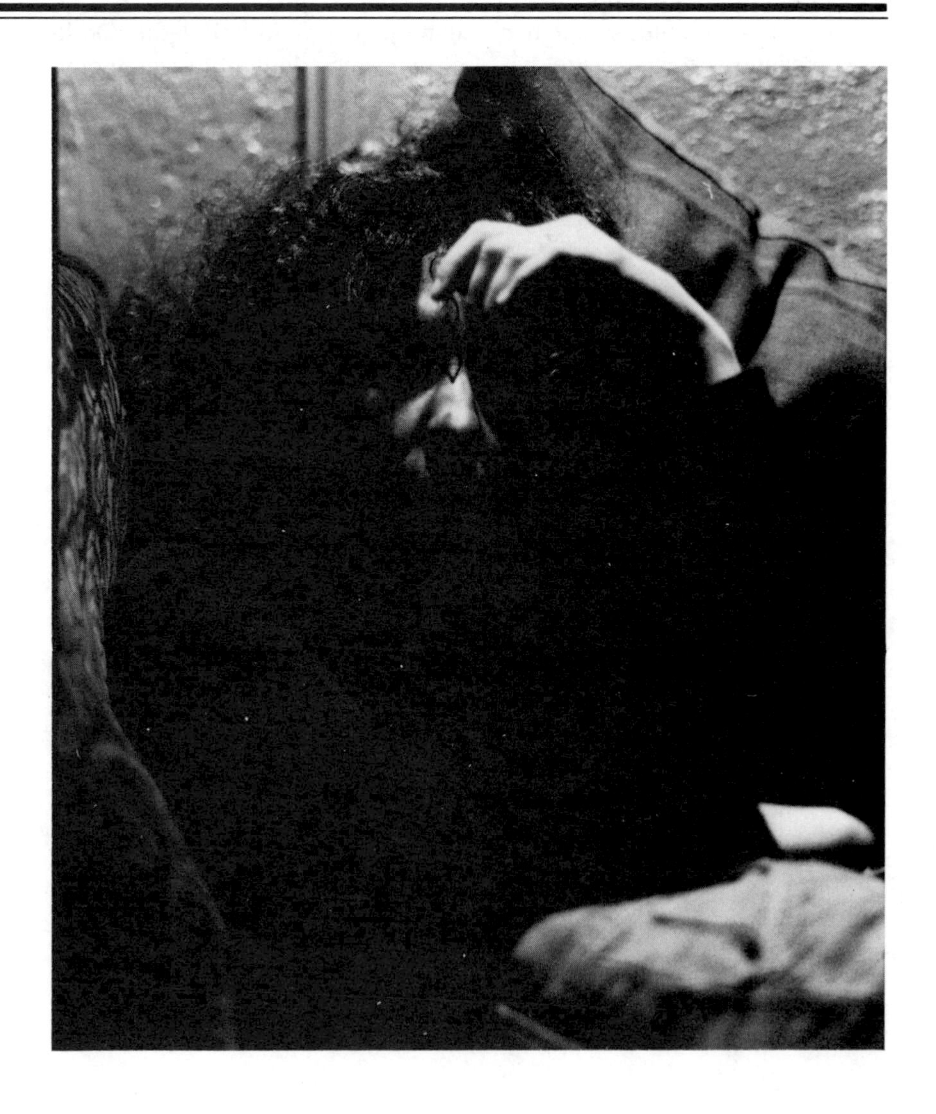

Êtes vous déprimé(e)?

La semaine dernière avez-vous:	**oui**	**non**
• **perdu l'appétit?**	●	●
• **eu des difficultés à vous endormir ou à rester endormi?**	●	●
• **ressentie de l'irritabilité?**	●	●
• **perdu intérêt dans votre travail, votre vie sexuelle, etc.?**	●	●
• **eu tendance à pleurer souvent?**	●	●
• **ressenti de la culpabilité, de la tristesse ou du découragement?**	●	●
• **eu des difficultés à prendre des décisions?**	●	●
• **ressenti une impression de grande fatigue?**	●	●
• **eu des troubles de mémoire ou de concentration?**	●	●
• **pensé au suicide?**	●	●

Si vous avez répondu oui à au moins quatre de ces questions (ou seulement à la dernière), et s'il n'y a pas eu d'événement exceptionnel récent permettant d'expliquer votre état, nous vous recommandons de consulter un médecin.

De plus, il y a des façons efficaces de s'aider soi-même, comme l'activité physique et intellectuelle, les changements de routine. Le fait de pouvoir se confier à quelqu'un atténue considérablement les sentiments de détresse et de solitude qui accompagnent la dépression.

Une réunion des Déprimés Anonymes, un samedi matin de juin, dans une salle paroissiale de l'est de Montréal. Autour de la table, une dizaine de personnes, «futurs ex-déprimés» et, au premier coup d'oeil, plutôt en forme. 1

De temps à autre pourtant, les gorges se nouent. «Jai été 14 ans au fond du trou, raconte une jeune femme. Sans aucun espoir, sans la moindre lumière. J'étais un légume. Un bas-fond.» 2

À l'autre bout de la table, une femme dans la cinquantaine : «Pendant trois ans, j'ai vécu dans la panique, l'angoisse, c'était l'enfer...» Puis un homme, dans la quarantaine avancée : «Au plus creux de la dépression, tout semble énorme, insurmontable. Se faire un café, ça devient tout un contrat.» 3

Louise Cantin est présidente des Déprimés Anonymes. Elle a – aujourd'hui – du dynamisme à revendre. Pourtant, sa dépression n'a pas été une petite affaire. Elle est allée jusqu'à la tentative de suicide. «J'avais dans la tête un carrousel de problèmes qui tournait à toute vitesse. Je ne fonctionnais plus. Je ne mangeais plus. Je ne m'occupais plus de moi, de personne. C'était vraiment, je ne trouve pas d'autre mot, dégueulasse à vivre.» 4

Une dépression, une vraie, c'est en effet plus qu'un gros coup de cafard. Ça cogne plus dur que les «bleus» ou qu'une déprime passagère. «C'est une réaction marquée par le repli, l'abandon de toute lutte, la soumission passive et involontaire, le figement de l'action», écrit le psychiatre Daniel Widlöcher dans un bon livre-synthèse récemment paru, *Les Logiques de la dépression* (Fayard éditeur). 5

Une dépression, c'est également quelque chose qui s'installe, qui dure. Et qui fait mal. Psychologiquement, bien sûr. Mais physiquement aussi. Les signes ne manquent pas : tristesse persistante, sentiments de dévalorisation et de culpabilité, ralentissement intellectuel, fatigue inexpliquée, perte de poids et, presque à tout coup, troubles du sommeil. Les complications non plus ne manquent pas : troubles digestifs, attaques cardiaques ou même, sans qu'on comprenne trop pourquoi, apparition de cancers. Et, surtout, risque permanent de suicide. Huit fois sur 10 d'ailleurs, c'est entre autres par la dépression que s'expliquerait le suicide. 6

Ces dépressions graves, longues de plusieurs mois, sont loin d'être rares. Cent millions de cas par année sur la planète, selon l'Organisation mondiale de la santé. Des coûts directs et indirects de 20 milliards de dollars par an aux États-Unis, calcule le National Institute of Mental Health. Une épidémie, admet-on dans les milieux médicaux. 7

«Selon mon expérience de psychiatre généraliste, dit le Dr Charles Dumas, de l'Hôtel-Dieu de Montréal, la dépression représente 70 à 75 % de ma clientèle.» 8

«Mal du siècle», la dépression n'est plus seulement la maladie de l'âge mûr, la crise du mitan de la vie, de la grande remise en question. Il n'y a plus un seul et unique portrait-robot du déprimé. 9

Louise Hains et Jean-Yves Sédillot travaillent au Carrefour Le Moutier, un centre d'accueil et d'écoute installé au métro de Longueuil. «Les déprimés qui nous arrivent sont de tous les âges et de tous les milieux. Des jeunes, de plus en plus. Ils se présentent ici, souvent sans travail, épuisés, dépendants, se sentant rejetés, isolés. Comme s'ils venaient nous apporter leur paquet.» 10

À l'autre bout de la vie, les personnes âgées sont loin d'être épargnées. L'isolement, la solitude, des conditions de vie souvent précaires sont leur lot à elles aussi. 11

«La dépression est plus fréquente chez les plus de 65 ans que dans tout autre groupe d'âge», dit le Dr Joanne Joly, de l'hôpital Douglas, à Montréal. Il faut noter que les personnes âgées prennent beaucoup de médicaments (contre l'anxiété, les douleurs, les allergies, l'arthrite) et que certains de ces médicaments, le valium ou la codéine par exemple, peuvent provoquer la dépression. 12

Les femmes, dit-on, sont plus sujettes à la dépression que les hommes. Dans une proportion de deux contre un. C'est sans doute vrai dans les statistiques – et les féministes n'ont pas manqué de dénoncer une certaine «féminisation» de la dépression par le corps médical. C'est peut-être moins vrai dans la réalité. C'est que les femmes vont plus facilement chez le médecin que les hommes (pas seulement pour des troubles d'ordre psychologique) et il y a donc plus de chances qu'on découvre leur dépression. Les hommes, de leur côté, n'admettent pas volontiers leurs problèmes de santé mentale. Ou ils les assument à leur façon. 13

«Il n'y a pas si longtemps, les hommes allaient boire leur dépression à la taverne», dit Louise Cantin. 14

Mais les choses changent. Au Carrefour Le Moutier, on dit recevoir autant d'hommes que de femmes en dépression. Fait significatif, les hommes sont désormais plus nombreux que les femmes à se proposer comme bénévoles chez les Déprimés Anonymes. 15

Mais de quoi au juste parle-t-on quand on parle de dépression? D'un trouble purement psychologique? D'un subtil dérèglement de cette usine électrochimique qu'est le cerveau? Le moins qu'on puisse dire, c'est que l'unanimité est loin d'être fait entre les chercheurs. 16

Freud, qui ne rechignait pas sur la cocaïne pour apaiser la dépression qu'on lui a attribuée, publie en 1915 un texte auquel on se réfère encore aujourd'hui, *Deuil et Mélancolie.* Le père de la psychanalyse y décrit la dépression comme un deuil qui ne se fait pas, qui n'aboutit pas. Dans un cas comme dans l'autre, le deuil ou la dépression, il y a «perte d'objet», cet «objet» pouvant aussi bien être une personne qu'une situation gratifiante. Mais le déprimé n'intègre pas cette perte, ne dépasse pas cette expérience, retourne même contre lui l'agressivité qu'il pourrait ou devrait avoir à l'endroit de «l'objet» qu'il a perdu. D'où les sentiments de culpabilité, d'auto-accusation, d'échec, d'impuissance, si caractéristiques de la dépression. 17

«Dans le deuil, écrit Freud, le monde est devenu pauvre et vide; dans la mélancolie, c'est le moi lui-même qui l'est.» 18

De plus en plus, cependant, ce que l'on cherche à comprendre, c'est ce qui se passe concrètement dans le cerveau déprimé. Les biologistes commencent à lever un coin du voile. Comme c'est souvent le cas, tout a été le fruit du hasard. C'est en effet en expérimentant de nouveaux médicaments contre la tuberculose et contre les allergies qu'on a découvert, au milieu des années 50, les premiers antidépresseurs. Ce fut une vraie révolution médicale. 19

Quelques années plus tard, on comprend comment ces produits agissent : les quelque 100 milliards de cellules nerveuses, les neurones qui composent notre cerveau, communiquent entre elles par l'intermédiaire de substances chimiques, les neurotransmetteurs. Qu'une de ces substances vienne à faire défaut (ou soit en excédent), et la communication entre les neurones est brouillée. Voilà ce qui se passe dans la dépression avec deux neurotransmetteurs, la noradrénaline et la sérotonine. C'est sur leur concentration qu'agissent les antidépresseurs. *20*

Les neurobiologistes ne cherchent pas seulement à expliquer les mécanismes intimes de la dépression. Ils veulent aussi trouver des moyens d'intervenir plus efficacement contre la maladie. Car aussi puissants et sophistiqués qu'ils soient, les antidépresseurs ont encore des limites. D'efficacité d'abord : 30 à 50 % des dépressions leur résistent, peut-être plus. De rapidité ensuite : l'effet des antidépresseurs ne se fait sentir que 10 à 15 jours après le début du traitement, un délai énorme quand il s'agit de faire face à une crise et, surtout, à une crise suicidaire grave. De qualité enfin : les effets secondaires des antidépresseurs, souvent prescrits pour plusieurs mois, sont considérables. Sécheresse de la bouche, vision embrouillée, constipation, problèmes cardio-vasculaires, étourdissements, nausées et même... dépression ! *21*

Autre espoir des médicins : trouver des tests pour diagnostiquer la dépression de façon objective. Pour la «mesurer», un peu comme on «mesure» un diabète en calculant le taux de sucre dans le sang. On est sur la piste de substances, dans le sang ou l'urine par exemple, qui permettraient de mesurer le niveau des neurotransmetteurs. Ces tests, simples et précis, serviraient au diagnostic. Ils permettraient aussi de suivre l'évolution du traitement, de calculer la réponse du malade au médicament et de doser la prescription. *22*

La chimie du cerveau ne dit pas tout sur la dépression. Elle en explique seulement les mécanismes, les rouages biologiques. Pas nécessairement les causes, qu'il faut plutôt chercher du côté des expériences *23* de vie.

«La cause de ma dépression, dit un participant à la réunion de Déprimés Anonymes, c'est tout ce que j'ai vécu depuis ma naissance jusqu'à ma dépression !» *24*

C'est pourquoi les médicaments «guérissent» rarement la dépression; ils en soulagent les symptômes. Le traitement psychologique, lui, permet d'aller plus loin. *25*

Au Carrefour Le Moutier, Louise Hains confirme que, très souvent, la référence à l'enfance finit par ressortir dans les échanges avec les déprimés. Tout jeunes, ils se sont sentis rejetés, mal aimés. «Je sais bien que mon père voulait un garçon, et qu'il s'est contenté d'une fille intelligente», lui a dit un jour une jeune déprimée. «Les déprimés victimes de la dépression, note encore Louise Hains, ont de la difficulté à traduire leurs sentiments car on ne leur a pas appris à le faire. Pas plus qu'on ne leur a appris à s'aimer.» *26*

Plus immédiatement, tout le monde l'a observé, c'est presque toujours un événement malheureux qui déclenche une dépression. Un décès, une séparation, le départ d'un enfant, la perte d'un emploi, un échec... et le vase déborde. Souvent aussi, la dépression arrive au bout d'une période de surmenage : l'individu se «brûle» au travail, finit par craquer. *27*

Deux chercheurs britanniques, George Brown et Terris Hill, ont analysé en profondeur le rôle des *life events* dans le déclenchement de la dépression. Dans un échantillon de 458 femmes choisies au hasard, ils ont relevé 37 cas de dépression. Dans 89 % de ces cas, ils ont trouvé un événement déclencheur préalable : deuil, divorce, perte d'emploi, etc. *28*

Mais les mêmes événements n'ont pas le même effet sur tout le monde, loin de là : sur cinq femmes à les subir, une seule entrait en dépression. D'où l'idée de «facteurs de vulnérabilité». Le plus important de ces facteurs est l'absence d'un ami ou de quelqu'un à qui se confier en cas de coup dur. Mais il y en a d'autres : le fait d'avoir plusieurs enfants (trois ou plus), d'avoir perdu sa mère quand on était encore petite fille, ou de ne pas avoir d'emploi à l'extérieur de la maison. *29*

Cette «hypothèse de la vulnérabilité», comme on l'a appelée, a été confirmée plusieurs fois par d'autres études. Récemment, en Angleterre encore, on a montré que des hommes qui venaient de perdre leur emploi étaient d'autant plus vulnérables à la dépression qu'ils avaient peu de relations sociales en dehors de leur travail. *30*

«La dépression, note l'un des auteurs de cette étude, le Dr Keith Oatley, c'est la crise du manque d'alternatives. Ce qui signifie, ajoute-t-il, que la dépression n'est pas un trouble mental comme tel. Rien n'est dérangé ou anormal dans la tête de quelqu'un qui fait une dépression. C'est dans sa vie et dans ses relations sociales que quelque chose ne va plus.» *31*

À la fois sociale, psychologique et biologique, parfois dramatique et quelquefois «masquée», voire «souriante», la dépression reste déroutante. Mais, heureusement, pas rebelle à tout traitement. *32*

Et on peut faire quelque chose pour un déprimé. Pas en lui fichant des «coups de pied psychologiques» bien placés, dans le style : «Secoue-toi, t'es capable !» Le déprimé se sentirait encore plus écrasé par un sentiment d'impuissance qui, justement, est au coeur de sa dépression. Mais en l'écoutant, en le faisant parler, en l'aidant à découvrir en lui le petit ressort qui l'aidera, tout doucement, à repartir. *33*

Comme on dit au Carrefour Le Moutier : «Toute personne a en elle les ressources nécessaires pour s'en sortir. Il faut l'aider à les découvrir. Mais c'est parfois long. Très long.» *34*

Yanick Villedieu

La Déprime

Yanick Villedieu

A. Compréhension du texte

1. Dans le sous-titre, relevez tous les mots et toutes les expressions à connotation négative. Quelles sont les valeurs qu'ils véhiculent?

Paragraphe 1

2. À quelle question le premier paragraphe répond-il?

Paragraphe 2

3. Relevez trois expressions qui décrivent l'état psychologique d'un déprimé.

Paragraphe 3

4. Qu'est-ce qui assure l'unité des trois premiers paragraphes?
5. Relevez deux substantifs qui décrivent l'état mental du malade.
6. Soulignez l'exemple donné par Yanick Villedieu pour illustrer l'impuissance de ces personnes.

Paragraphe 4

7. Relevez toutes les expressions négatives du paragraphe et justifiez leur emploi.

Paragraphe 5

8. Trouvez d'autres termes qui reprennent la locution « un coup de cafard ».
9. Soulignez les mots qui décrivent les symptômes d'une vraie dépression.

Paragraphe 6

10. Comment ce paragraphe est-il relié au paragraphe précédent?
11. Faites la liste des autres symptômes.

Paragraphe 7

12. Quel est le mot clé de ce paragraphe?

Paragraphes 8, 9

13. (paragraphe 9) « La maladie de l'âge mûr ». Montrez comment cette idée est reprise encore deux fois au cours du paragraphe.

14. Soulignez la phrase clé du paragraphe.

Paragraphe 10

15. Montrez comment ce paragraphe reprend une idée déjà mentionnée dans le texte.
16. En quoi consiste « le paquet » des jeunes déprimés?

Paragraphe 11

17. Quel est le rapport entre les paragraphes 10 et 11?
18. Soulignez les causes de la déprime chez les personnes âgées.

Paragraphe 12

19. Qu'est-ce qui déclenche souvent la dépression chez les plus de 65 ans? Soulignez le mot clé.

Paragraphe 13

20. Les femmes, dit-on, sont les plus sujettes à la dépression. Est-ce que l'auteur souscrit à cette thèse? Soulignez la phrase qui résume l'explication qu'elle en donne.

Paragraphes 14, 15

21. Quel est le changement qu'on constate dans le comportement des hommes?

Paragraphe 16

22. Quelle est la fonction de ce paragraphe dans le contexte global de l'article?
23. Quelle métaphore sert à désigner le cerveau?

Paragraphes 17, 18

24. Comment Freud présente-t-il la dépression? Soulignez la phrase qui résume l'essentiel de sa pensée.
25. Quelle est la différence essentielle entre une situation de deuil et la dépression?

Paragraphe 19

26. Ce paragraphe marque un contraste par rapport au paragraphe précédent. Dans quel sens? Soulignez le mot clé.
27. Trouvez une phrase équivalente de « Ils commencent à faire des découvertes. »
28. Comment dit-on en français « an anti-depressant »?

Paragraphe 20

29. Quel est l'articulateur rhétorique qui assure le lien avec le paragraphe précédent?

30. Soulignez l'expression qui résume le thème de ce paragraphe.

Paragraphe 21

31. Comment ce paragraphe se rattache-t-il au précédent?
32. Quelle est la double tâche que se sont donnée les neurobiologistes?
33. Les antidépresseurs ont des limites. Soulignez les termes indiquant les grandes catégories dans lesquelles on pourrait classer ces limites.

Paragraphe 22

34. Relevez le terme équivalent de « diagnostiquer ».
35. Sur quoi fait-on des tests?

Paragraphe 23

36. Quel est le rôle de ce paragraphe?

Paragraphe 24

37. La cause principale de la dépression est le ________________ .

Paragraphe 25

38. Quelle est la façon la plus efficace de traiter une dépression?
39. Comment s'explique souvent une dépression?

Paragraphe 26

40. Montrez comment ce paragraphe constitue la suite logique du précédent.
41. Qu'est-ce que leur éducation ne leur a pas appris? Répondez par un seul verbe, dont le contraire est « se mépriser ».

Paragraphe 27

42. Faites la liste de tous les éléments appartenant au champ lexical « événement malheureux ».

Paragraphe 28

43. Selon vous, quelle est la fonction de ce paragraphe?

Paragraphe 29

44. Qu'est-ce que l'auteur entend par facteurs de vulnérabilité?

Paragraphe 30

45. Comment ce paragraphe est-il relié au précédent?

Paragraphe 31

46. Relevez toutes les formules et tournures de phrase qui introduisent une explication.
47. Soulignez la phrase clé du paragraphe.

Paragraphe 32

48. Quelle est la fonction de ce paragraphe?

Paragraphe 33

50. Comment peut-on le mieux aider un(e) déprimé(e)?

Paragraphe 34

51. Sur quel ton se termine le texte?

B. Analyse sociolinguistique

1. De quel type de texte s'agit-il? (texte scientifique, texte de vulgarisation médicale, enquête sociologique)?
2. Quelles sont *les fonctions* de ce texte? Préparez des fiches pour illustrer les différentes formulations de chacune de ces fonctions.
3. Quelle est la forme (essai, reportage, compte rendu, interview) du texte? Pensez-vous que la forme soit bien adaptée au sujet de l'article?
4. Pourquoi certains mots sont-ils mis entre guillemets («féminisation», «bleus», «hypothèse de la vulnérabilité»)?

C. Étude de langue

I.

Remplacez les tirets par l'expression, choisie dans la liste ci-dessous, qui traduit le mieux le mot ou la phrase entre parnethèses. Faites tous les changements nécessaires.

la perte	la goutte d'eau qui fait déborder le vase
surmené	psychologique
les psychiatres	à tout coup
l'isolement	physique
les chercheurs	être sujet à
les jeunes	les déprimés anonymes
de temps à autre	les médicaments
le moins qu'on puisse dire	la crise du mitan de la vie
les centres d'accueil et d'écoute	les personnes âgées

Marie Josée assiste (from time to time) ______________ aux réunions des (depressed anonymous) ______________. (The least that one can say) ______________ c'est que la dépression ne privilégie pas une classe sociale et ne dépend pas de l'âge : (elderly people) ______________, (young people) ______________, aussi bien que ceux qui traversent (the mid-life crisis) ______________, (are subject to) ______________ cette maladie paralysante. (Researchers) ______________ sont tous d'accord pour dire que les causes en sont (physical) ______________ et (psychological) ________________________. Peut-être (isolation) ______________ est-il un des facteurs les plus souvent cités. Selon (the psychiatrists) ______________ les déprimés qui se présentent aux (drop-in centres) ______________ souffrent presque (in every case) ______________ de (the loss) ______________ d'une personne aimée ou sont tout simplement (overworked) ______________. Souvent même, un petit détail tout à fait insignifiant peut être (the straw that breaks the camel's back) ______________. Les antidepresseurs, ces (medication for) ______________ contre l'anxiété, existent, mais ils ne constituent qu'une solution provisoire.

II.

De nombreuses expressions idiomatiques sont formées à partir du mot «coup». Remplacez les tirets par le terme ou la locution qui convient au sens de la phrase.

Sur le coup
un coup de déprime
d'un seul coup
du même coup
un coup de pied
un coup dur
un coup de pistolet
un coup d'état
un coup de fil
coup sur coup

1. Il a avalé la grosse tarte ______________.
2. Les policiers ont confronté l'accusé avec les preuves : ______________ il ne savait ni quoi dire ni comment se défendre.
3. Ne soyez pas si triste; il arrive à tout le monde d'avoir un ______________.
4. On lui a appris que sa fiancée était morte dans un accident de voiture; c'était ______________ pour le pauvre Alfred.
5. Pour l'achever, les bandits lui ont donné des ______________ dans l'estomac.
6. Comme je vais faire des courses en ville demain, ______________ je passerai à la banque toucher mon chèque.
7. Si vous voulez prendre rendez-vous, passez-moi ______________ demain dans l'après-midi.
8. Il a avalé quatre apéritifs ______________.
9. Le gangster a sorti son arme de sa poche, a appuyé sur la gâchette, et a tiré un ______________ en l'air.
10. Des soldats patrouillaient la ville : on avait décrété un couvre-feu à la suite du ______________.

III.

Complétez les expressions suivantes en vous servant de la définition donnée. Les tirets indiquent les lettres qui manquent.

1. On pourrait dire qu'une maladie qui dure plusieurs mois est ______________ de plusieurs mois.

2. Gilles ne respecte pas les limitations de vitesse : il conduit à ______________ vitesse.
3. Quelqu'un qui est en bonne santé est en ______________ .
4. Les humanistes et les religieux prêchent contre la violence; dans ce sens, les deux gropues se font ______________ .
5. Je n'ai pas encore attrapé le renard, mais avec mon chien de chasse je serai bientôt sur sa ______________ .

IV.

Le mot « salle » se traduit en anglais par « hall » ou « room ». Donnez l'équivalent anglais des termes suivants :

a. une salle paroissale
b. une salle d'attente
c. une salle de réunion
d. une salle de classe
e. une salle de cinéma
f. Comment dirait-on en français « City Hall »?

V.

Donnez le nom formé à partir des verbes suivants :

1. intervenir
2. expliquer
3. expérimenter
4. perdre
5. ralentir
6. soumettre
7. figer
8. dévaloriser
9. compliquer
10. accueillir
11. isoler
12. dénoncer
13. accuser
14. traiter
15. diagnostiquer
16. déclencher
17. surmener
18. concentrer

VI.

Donnez l'adjectif qui correspond à chacun des substantifs suivants :

1. la culpabilité
2. la tristesse
3. l'agressivité
4. l'impuissance
5. le malheur
6. la vulnérabilité
7. l'intimité
8. la difficulté
9. la psychologie
10. la douceur

VII.

Étudiez la valeur de à + *infinitif* dans la phrase suivante : « avoir du dynamisme à *revendre* ».

Faites la liste d'autres expressions (par ex. « une histoire à mourir de rire ») formées sur le même modèle.

VIII.

Mettez les phrases suivantes en anglais en soignant particulièrement la traduction des parties soulignées.

1. Huit fois *sur* dix d'ailleurs, c'est *entre autres* par la dépression que s'expliquerait le suicide.
2. Freud, qui ne *rechignait pas* sur la cocaine pour apaiser la dépression *qu'on lui a attribuée* publia en 1915 un texte auquel on se réfère encore aujourd'hui, *Deuil et Mélancolie*.
3. Car aussi *puissants et sophistiques qu'ils soeint*, les antidépresseurs ont *encore* des limites.
4. Les victimes déprimé de la dépression, *note encore* Louise Hains, *ont de la difficulté à traduire* leurs sentiments car on ne leur a pas appris à le faire.

IX.

Déchiffrez les mots suivants en vous servant des définitions données.

a. Un médecin qui n'est pas spécialiste est *un ilasgrténée*.
b. Un médecin spécialiste qui vous demande de raconter vos rêves est *un chaypalysntse*.
c. Quelqu'un qui a fait des études poussées en psychologie est *un pcyog-sholue*.
d. Un médecin qui traite les maladies mentales est *un stcyapihre*.

X.

Exercices de rédaction

1. On dit souvent au sujet de la dépression que « toute personne a en elle les ressouces pour s'en sortir ». Qu'en pensez-vous?
2. Comment expliquer le fait qu'aujourd'hui on entend parler de la dépression plus souvent qu'autrefois?
3. Certaines personnes s'y prennent mieux que d'autres pour combattre la dépression mentale. Quelle est leur arme secrète?
4. Est-ce que la dépression mentale laisse des traces pour toute la vie?
5. La dépression mentale semble être plus courante dans les pays riches et développés que dans les pays du Tiers Monde. Pourquoi?
6. Qu'est-ce que cette image représente pour vous? Imaginez les circonstances de la vie de cette personne.

L'amour coupé en deux

La folie est une notion relative. Qui peut dire lequel de nous est réellement fou? Et cependant que je déambule dans Central Park avec mon masque de chirurgien et mes vêtements bouffés aux mites, braillant des slogans révolutionnaires et poussant des éclats de rire hystériques, je continue à me demander si ce que j'ai fait était tellement irrationnel. Car cher lecteur, je n'ai pas toujours été ce qu'on appelle communément « un barjot new-yorkais », s'arrêtant devant les poubelles pour remplir son sac à provisions de bouts de ficelle et de capsules de bière. Non, j'ai été autrefois un médecin de grand renom, habitant dans l'East Side, vadrouillant à travers la ville dans une Mercedes métallisée, et audacieusement vêtu des plus coûteux tweeds de chez Ralph Lauren. Il est difficile de croire que moi, le Docteur Ossip Paris, figure bien connue des premières théâtrales et des lieux en vogue, Sardi's, le Lincoln Center et les Hampton, menant la grande vie et célèbre pour son revers au tennis, suis le même individu qu'on peut voir patiner à roulettes avec une barbe de huit jours dans le bas-Broadway, un sac sur le dos et coiffé d'une casquette Mickey.

1

Le dilemme qui précipita cette spectaculaire dégringolade sociale fut tout simple. Je vivais avec une femme dont j'étais follement épris et qui possédait une personnalité très forte. Intelligente, délicieuse, cultivée, pleine d'humour; bref, le bonheur de tout homme normalement constitué. Mais (et je ne maudirai jamais suffisamment la Fatalité pour ce détail) elle ne m'excitait pas sexuellement. De plus, je traversais la ville toutes les nuites pour rencontrer une cover-girl nommée Tiffany Scheederer, dont l'abominable caractère était en proportion inverse des radiations érotiques qui émanaient de chacun de ses pores. Indubitablement, cher lecteur, vous avez entendu l'expression « une mangeuse d'hommes », eh bien cette Tiffany était une mangeuse boulimique, et ne s'interrompait pas une seconde pour boire. Une peau semblable à du satin, que dis-je, à une soie de chez Gucci, une somptueuse crinière de cheveux dorés, de longues jambes flexibles, et une silhouette si pleine de rotondités et corbes diverses que, rien qu'à la caresser de la main, on avait l'impression d'être dans le Grand Huit. Ce qui ne veut pas dire que la fille avec qui je vivais, la profonde et scintillante Olive Chomsky, fût un boudin, physiquement parlant. Bien au contraire. C'était une femme superbe, dotée de tous les attributs nécessaires, s'ajoutant à une culture sans failles, et, pour dire crûment les choses, une super-affaire au pieu. Peut-être était-ce le fait que lorsque la lumière frappait Olive selon un certain angle, elle me rappelait inexplicablement ma tante Rifka. Non qu'Olive ressemblât à la soeur de ma mère. (Rifka était le sosie d'un personnage du folklore juif qu'on appelle le Golem.) Il s'agissait d'une simple similitude au niveau du regard, et encore juste dans le clair-obscur. C'était peut-être ce fameux tabou de l'inceste, ou peut-être plus simplement qu'un visage et un corps comme ceux de Tiffany Schmeederer ne se rencontrent qu'une fois en des millions d'années, et annoncent généralement la venue d'une période glaciaire, ou la fin du monde... Enfin bref, je voulais ce que chacune de ces deux femmes avait de meilleur. 2

Je rencontrai d'abord Olive. Et ceci après une succession interminable de liaisons dans lesquelles ma partenaire me laissa toujours insatisfait. Ma première femme était intelligente, mais n'avait aucun sens de l'humour. Elle était convaincue que le plus drôle des Marx Brothers était Zeppo. Ma seconde épouse était belle, mais dépourvue de tempérament. Je me souviens qu'une fois, alors que nous faisions l'amour, une curieuse illusion d'optique se produisit, et, l'espace d'une seconde, elle eut presque l'air de bouger. Sharon Pflug, avec qui je vécus trois mois, était trop belliqueuse. Whitney Weisglas trop soumise. Pippa Mondale, une joyeuse divorcée, commit l'erreur fatale de vouloir garder chez elle des bougies ayant la forme de Laurel et Hardy. 3

Des amis bien intentionnés m'organisèrent une incroyable série de rencontres avec des femmes qui semblaient toutes sortir de l'imagination de H.P. Lovecraft. Les petites annonces de la Quinzaine Littéraire de New York, auxquelles j'eus un moment recours en désespoir de cause, s'avérèrent décevantes, la «poétesse de trente ans» en ayant soixante, l'«étudiante aimant Bach et Camus» ressemblant à Sartre, et la «bisexuelle libérée» me disant que je ne coïncidais avec aucun de ses gôuts. Ce qui ne veut pas dire que, de temps en temps, un morceau de choix ne se montrât point : une femme sculpturale, intelligente et sensuelle, bourrée de qualités et d'argent. Mais celle-là, obéissant à quelque loi, non écrite, remontant soit a l'Ancien Testament, soit au Livre des morts égyptien, celle-là me repoussait. C'est pourquoi j'étais le plus misérable des hommes. En surface, doté de toutes les qualités pour être heureux. En profondeur, recherchant désespérément un amour gratifiant. 4

De lonques nuits solitaires m'incitèrent à pondérer mes idées esthétiques sur la perfection. Existe-t-il dans la nature quelque chose de réellement «parfait», à l'exception de la stupidité de mon oncle Heyman? Qui suis-je donc pour exiger des autres la perfection? Moi, avec mes multiples défauts. Je dressai une liste de mes défauts, mais ne parvins pas à dépasser :

1. oublie son chapeau partout. 5

Connaissais-je quelqu'un qui aurait une «relation amoureuse exceptionelle»? Mes parents avaient bien vécu quarante ans ensemble, mais par pure animosité. Greenglass, un autre docteur de l'hôpital, avait épousé une femme qui ressemblait à un fromage de Hollande «parce qu'elle était gentille». Iris Merman s'envoyait en l'air avec tout homme ayant le droit de vote dans les quarante-neuf États. Aucun couple ne pouvait être considéré comme heureux. Je commençai à avoir des cauchemars. 6

Je rêvai que j'entrais dans un bar pour célibataires, où j'étais attaqué par une horde de secrétaires sauvages. Elles brandissaient des couteaux et m'obligèrent à dire du bien de la municipalité de Brooklyn. Mon analyste me conseilla de transiger. Mon Rabbin me dit «calme-toi, calme-toi. Que penserais-tu d'une femme comme Mme Blitzstein? Ce n'est peut-être pas un prix de beauté, mais elle sait mieux que personne se servir d'une arme à feu et se procurer de la nourriture en plein ghetto». Je rencontrai une actrice qui m'avait affirmé que sa véritable ambition était de devenir serveuse dans un routier; celle-ci m'avait semblé prometteuse, mais, au cours d'un rapide souper, à tout ce que je lui disais, elle ne sut que répondre «c'est planant !» Puis, un beau soir, dans un effort pour me détendre après une journée particulièrement pénible à l'hôpital, je me rendis seul à un concert de Stravinsky. Pendant l'entracte, je rencontrai Olive Chomsky et ma vie changea. *7*

Olive Chomsky, ironique, qui citait Eliot et jouait au tennis, ainsi que les Inventions de Bach au piano, qui ne disait jamais «oh, super !» ni ne portait quoi que ce soit griffé Pucci ou Gucci, ni n'écoutait de la country music à la radio. Et qui, entre parenthèses, voulait toujours s'ingénier à faire l'indicible et dire l'infaisable. Quelle période merveilleuse je passai avec elle jusqu'à ce que mes performances sexuelles (qui figurent, je crois, dans le Livre des records) s'affaiblissent. Concerts, films, dîners et week-ends, discussions passionnantes et interminables sur tous les sujets, de Peanuts au Rig-Veda. Jamais une sottise ne sortait de sa bouche. Que du profond. Que du spirituel. Et, comme il se doit, toute la causticité souhaitable envers les cibles essentielles : politiciens, télévision, chirurgie esthétique, promoteurs immobiliers, porteurs de médailles, écoles de cinéma et toute personne commençant ses phrases par «À la base». *8*

Oh, que maudit soit le jour où un maudit rayon de lumière frôlant les traits ineffables de ce visage me remit en mémoire la face stupide de tante Rifka ! Et que soit aussi maudit le jour où, lors d'un vernissage à Soho, un archétype d'érotisme, doté du nom improbable de Tiffany Schmeederer, rajusta sa chaussette de laine et me dit d'une voix évoquant celle de la souris des dessins animés : «De quel signe êtes-vous?» Je me sentis pousser des poils et des crocs, tel le lycanthrope bien connu, et me sentis obligé d'entamer avec elle une rapide discussion sur l'astrologie, sujet provoquant chez moi un intérêt sensiblement égal à celui que je porte aux rayons alpha ou à la capacité des albinos à trouver des trésors. *9*

Woody Allen

L'amour coupé en deux

Une nouvelle de Woody Allen

A. Compréhension du texte

Paragraphe 1

1. Quelle est la définition donnée de la folie dans les deux premières lignes du texte?
2. Faites la liste des éléments qui lui donnent l'aspect d'un fou.
3. Trouvez dans le texte des termes équivalents pour :
   a. se promener sans but
   b. crier fort
   c. mangé par
   À quel registre de langue ces trois termes appartiennent-ils?
4. Que faut-il entendre par « barjot new-yorkais »?
5. Quelle est l'image stéréotypée d'un clochard?
6. Relevez les détails qui montrent l'appartenance aux classes sociales aisées.
7. Donnez l'équivalent français de :
   a. a back-hand serve
   b. to roller-skate

Paragraphe 2

8. Donnez des termes équivalents pour :
   a. une chute
   b. amoureux de
9. Comment dit-on en français « to curse »?
10. Que faut-il entendre par l'expression « la mangeuse d'hommes »? Y a-t-il des exemples célèbres dans l'histoire littéraire? (Pensez à un roman d'Émile Zola)
11. Dans quel contexte rencontre-t-on d'habitude le mot « crinière »? Que signifie « crinière » en langue familière?
12. Que signifie le terme « boudin » au sens propre? Au sens figuré?
13. Trouvez les expressions du texte qui veulent dire :
    a. ayant une culture solide
    b. être très expérimenté
14. Faites la liste de tous les adverbes et de toutes les locutions verbales de ce paragraphe.
15. Quel est le mot clé de ce paragraphe?

16. Quelle fonction du langage domine dans ce paragraphe?
    Donnez des exemples tirés du texte pour justifier votre réponse.

Paragraphe 3

17. Faites la liste des adjectifs qui décrivent le caractère ou la personnalité.
18. Combien d'aventures amoureuses sont racontées dans ce paragraphe?
19. Donnez le contraire de « belliqueuse ».

Paragraphe 4

20. Quel type de livres Lovecraft écrit-il?
21. Comment dirait-on en français :
    a. the New York Times Literary Supplement
    b. classified ads
22. Relevez la série d'adjectifs qui servent à décrire la femme idéale.
23. Trouvez dans le texte le contraire de « en surface ».

Paragraphe 5

24. Quel est le mot clé de ce paragraphe?
25. Trouvez un synonyme de « imperfections ».

Paragraphe 6

26. Soulignez la phrase clé de ce paragraphe.
27. Que servent à illustrer les exemples cités?
28. Comment était la femme de Greenglass? Cette comparaison vous en rappelle-t-elle une autre déjà donnée dans le texte?

Paragraphe 7

29. Comment ce paragraphe est-il relié au précédent?
30. « ... je rencontrai Olive Chomsky et ma vie changea » En d'autres termes, dans ce paragraphe, le narrateur raconte comment enfin son rêve ________________ .
31. Trouvez un synonyme pour « une arme à feu ».
32. Qu'est-ce qu'un routier?

Paragraphe 8

33. Le narrateur admire le caractère mordant des remarques d'Olive. Relevez des détails du texte à l'appui de cette observation.
34. Olive est-elle conformiste ou non? Donnez des exemples.
35. Donnez une paraphrase de « griffé Pucci ou Gucci ».
36. Quelle est la valeur du prefixe « in »?

Paragraphe 9

37. Dans quel contexte parle-t-on d'un vernissage?
38. Comment dit-on « cartoons » en français?
39. Est-ce que le narrateur s'intéresse vraiment à l'astrologie?

40. Quel est le sens qu'il faut attacher à l'adverbe «sensiblement» employé dans ce contexte?

B. Analyse sociolinguistique

1. À quelle expression idiomatique le titre vous fait-il penser? Quel est le rapport entre cette expression, le titre et le sujet de la nouvelle?
2. Au moment où nous rencontrons le docteur Ossip Paris, il n'est plus le médecin célèbre menant la grande vie. Il est le clochard en casquette Mickey se promenant dans le bas-Broadway. La nouvelle prend donc la forme d'un flash-back sur les événements menant à cette «dégringolade sociale» :
   a. *La situation initiale :* le héros est «le plus malheureux des hommes», «cherchant désespérement un amour gratifiant».
   b. Le héros trouve l'objet de sa quête (Olive).
   c. Le manque est comblé. Le héros n'est pas heureux avec Olive. Il y a une *interdiction* de posséder l'objet de sa quête.
   d. Le héros reprend sa quête.
   e. La rencontre avec Tiffany Schmeederer. Est-ce le véritable objet de sa quête? Satisfait-elle à tous les critères? Est-ce le bonheur?
   Quels événements permettent d'expliquer la fin de l'histoire, où nous ne voyons plus le docteur célèbre, mais le clochard avec une barbe de huit jours?
3. À quel type de héros avons-nous affaire? Il a du mal à être heureux dans le monde où le hasard l'a fait naître. À quelle(s) catégorie(s) de héros littéraires est-ce qu'il vous fait penser?
4. Ce texte est intéressant du point de vue de l'emploi a) des adjectifs, b) des comparaisons, c) des expressions familières. Préparez *une fiche* pour chacune des catégories mentionnées ci-dessus. Etablissez des sous-catégories pour i) les caractéristiques physiques (ii) les qualités/ défauts d'ordre moral.
5. Quel est le ton du texte?
6. Montrez que l'auteur aime jouer avec les mots.
7. Quelle semble être l'attitude du narrateur envers les femmes?

C. Étude de langue

I.

Vous avez déjà rencontré les descriptions suivantes dans le texte. Cherchez le contraire de chaque phrase ou locution proposée, puis rédigez un paragraphe dans lequel vous employez ces détails descriptifs pour décrire une femme ou un homme qui n'est pas une beauté.

a. l'abominable caractère
b. une peau semblable à du satin
c. une somptueuse crinière de cheveux dorés

d. de longues jambes flexibles
e. une silhouette pleine de rotondités
f. la profonde et scintillante Olive
g. une femme superbe

II.

Déchiffrez les termes ou expressions suivantes en vous servant de la définition donnée.
a. Un médecin qui fait des interventions chirurgicales est *un cnruheirgi*.
b. Tout ce qui ne vous sert plus est mis à *la peelloub*.
c. Les joueurs de football mettent un casque, les joueurs de baseball *une ctaqusete*.
d. Un individu célèbre est une personne *de grand mreon*.
e. Une fille bien faite a *une jolie tesiotlueh*.
f. Le contraire de l'adjectif «belliqueux» est *musois*.
g. Si une personne possède des qualités, elle est *eodét* de ces qualités.
h. Ce qui nuit à la perfection est un *téaduf*.
i. Un mauvais rêve est *un caucmarhe*.
j. Un individu qui n'est pas marié est *un licaaértieb*.
k. Portant l'étiquette Gucci=*rifgéf* Gucci.

III.

Donnez l'équivalent anglais.
a. les petites annonces
b. la Quinzaine littéraire
c. en désespoir de cause
d. bourré de qualités et d'argent
e. un morceau de choix
f. dire du bien
g. dans le bas-Broadway
h. une culture sans failles
i. le clair-obscur
j. un prix de beauté
k. un dessin animé

IV.

Expliquez le sens des termes/expressions suivants appartenant au registre populaire ou familier.
a. mes vêtements bouffés aux mites
b. une super-affaire au pieu
c. c'est planant
d. vadrouiller
e. un barjot

V.

Les mots juxtaposés ci-dessous sont souvent, à tort, confondus. Employez chacun dans une phrase qui en illustre clairement le sens.
a. une mite/un mythe
b. l'humour/l'humeur
c. la figure/la silhouette

VI.

Dans la nouvelle, le docteur Ossip Paris est présenté comme étant « coiffé d'une casquette Mickey ». Que signifient les expressions suivantes :
a. être bien coiffé
b. être né coiffé

VII.

Donnez l'adjectif qui correspond à chacun des adverbes suivants :
a. communément
b. audacieusement
c. follement
d. sexuellement
e. indubitablement
f. crûment
g. désespérément
h. inexplicablement

VIII.

Mettez les phrases suivantes en anglais en soignant particulièrement la traduction des parties soulignées.

1. Peut-être était-ce le fait que lorsque la lumière *frappait* Olive *selon un certain angle,* elle me rappelait inexplicablement ma tante Rifka.
2. *Enfin bref,* je voulais ce que chacune de ces deux femmes *avait de meilleur.*
3. Jamais une sottise ne sortait de sa bouche. *Que du profond. Que du spirituel.*

IX.

Exercices de rédaction

1. « C'est pourquoi j'étais le plus misérable des hommes. En surface, doté de toutes les qualités pour être heureux. En profondeur, recherchant

désespérément un amour gratifiant. » Pensez-vous que ce soit une situation assez courante?
2. La narrateur écrit au sujet d'Olive : « Jamais une sottise ne sortait de sa bouche. Que du profond. Que du spirituel. Et, comme il se doit, toute la causticité souhaitable envers les cibles essentielles : politiciens, télévision, chirurgie esthétique, promoteurs immobiliers, porteurs de médailles, écoles de cinéma, et toute personne commencant ses phrases par « À la base... ». Imaginez le monologue d'Olive sur un des sujets cités.
3. Ce qui est parfait manque d'intérêt. Préfère-t-on généralement ce qui est moins beau, moins parfait mais qui comporte un certain élément de variété et d'imprévu?
4. Dans quelle mesure est-ce que la nouvelle reprend les thèmes implicites et explicites des films de Woody Allen?
5. Est-ce que la nouvelle illustre l'aliénation fondamentale d'un citadin moderne? Comment?
6. Comment expliquer les jumelages suivants : beauté + niveau intellectual inférieur, visage ingrat + cérébralité?

Fiche d'accompagement
Compréhension orale

Vocabulaire

Des siècles plus tard – centuries later
la cire fondante – melting wax
les hanches – hips
entonner – to break into song, to begin singing
la rencontre – meeting
trahir – to betray
feindre – to pretend
la vedette – the star
tenir à – to have one's heart set on
baisser les lumières – to dim the lights
bonnement – **tout bonnement** – quite simply
bondir – to jump
un couguar – a cougar
assouvir – to satisfy
les pompiers – the firefighters
échafauder – to build up
dilapider – to squander
un yo-yo creux – an empty yoyo
le couvercle – cover (lid)
le crâne – skull
s'envoler – to fly off (to take off)
une soucoupe – saucer
l'abîme béant – gaping abyss
l'existence survoltée et répréhensible – a wrought and reprehensible existence
l'astuce – the trick
soucieux, soucieuse – worried
déprimé (adj.) – depressed
la durée – duration
un gorille – gorilla
un orage – a storm
la grosseur – size
des bouchons – corks
une salle d'opérations désaffectée – an abandoned operating room

outre – besides
bourrelé de remords – racked by remorse
la chance était de mon côté – luck was on my side
des alibis vaseux – wooly, hazy alibis
le surmenage – overwork
une épreuve – a trial, a test
miner – to wear out, to wear down
l'écorché – the skinned man
la foudre – thunder
l'entourage – surroundings
se lasser – to tire
une hôtesse de l'air – a flight attendant
garçonnier – (corps) a boyish figure
l'accent nasillard – nasal accent
la démission – resignation
la semoule – semolina

Questions sur l'écoute

1. Fait-il la conquête de Tiffany?
2. Comment sa vie change-t-elle après la rencontre de Tiffany?
3. A-t-il beaucoup de respect pour Tiffany?
4. Expliquez pourquoi le narrateur tourna «comme un couguar captif entre les étages».
5. Quel mensonge était-il prêt à raconter à sa femme?
6. Quel tableau cite-t-il pour illustrer la transformation qui s'est opérée en lui?
7. Quel est le dilemme dont il parle?
8. Pourquoi se demande-t-il si les Français avaient raison?
9. Pourquoi ne dit-il pas la vérité à Olive?
10. Comment se manifeste sa dépression?
11. Comment est-ce que tout s'éclaircit?
12. Quel était le résultat de l'opération?
13. Que devient Tiffany? Et Olive?
14. A-t-il enfin trouvé le bonheur?
15. Pourquoi donne-t-il sa démission?
16. Pourrait-on dire, en fin de compte, que le docteur n'est pas satisfait du bel objet de sa quête parce que ce n'est plus un objet sexuel, mais une personne?

4

Le Monde de l'Avenir

Le Saut dans les Étoiles...
«Derrière les ennuis et les vastes chagrins
Qui chargent de leur poids l'existence brumeuse,
Heureux celui qui peut d'une aile vigoureuse
S'élancer vers les champs lumineux et sereins !

Celui dont les pensées, comme des alouettes,
Vers les cieux le matin prennent un libre essor,
Qui plane sur la vie, et comprend sans effort
La langage des fleurs et des choses muettes !»

(ÉLÉVATION, CHARLES BAUDELAIRE)

Comme ces vers l'illustrent clairement, Baudelaire a toujours attaché beaucoup de prix aux pouvoirs de l'esprit, à la force libératrice de l'imagination. Mais l'imagination, tout comme l'inspiration, est une bête sauvage qu'il faut savoir attendre avec patience et apprivoiser. Peu importe le domaine, que ce soit celui du monde des affaires, du divertissement ou de la création littéraire, elle nous tend la main, nous faisant signe de poursuivre les nuages, ces «merveilleux nuages» de Baudelaire.

La leçon d'imagination

Si vous feuilletiez mon agenda professionnel, vous verriez, çà et là, des journées entières barrées avec la mention «strategic planning». J'ose espérer que vous seriez impressionné. En bon français franchouillard, «strategic planning» veut dire, tout bêtement, «planification stratégique». Mais, on ne sait trop pourquoi, le français, cela fait beaucoup moins chic, beaucoup moins sérieux que l'anglais quand on navigue dans les eaux du *big business*. Voilà en quoi consiste le «strategic planning» : durant plusieurs jours, l'équipe de direction d'une société va se réunir pour penser à son avenir, pour réfléchir à ce que l'entreprise va faire dans les cinq, dix ou même vingt années futures. Pourquoi me convoque-t-on dans ce genre de conclave où figurent les directeurs d'usine, les directeurs commerciaux, financiers et *tutti quanti?* Pour une bonne et simple raison. On attend de moi que je chatouille l'imagination de ces messieurs importants. Car de l'imagination, il en faut des montagnes – au moins la chaîne des Andes et celle de l'Himalaya réunies – pour pouvoir se projeter dans le futur et faire apparaître, comme sur un écran, la situation politique, économique et sociologique des temps encore non advenus. 1

Tarots? Marc de café? Boule de cristal? Cartes astrologiques? Non, bien sûr. Ce n'est pas avec ces traditionnels supports de la voyance et autres sciences conjoncturales, que les managers, modèle 1980, tentent de deviner l'avenir. Ou s'ils le font, ils le font à la brume de nuit, en rasant les murs et ne viennent pas le clamer glorieusement dans les graves réunions de «strategic planning». De l'eau a coulé sous les ponts depuis que les astrologues babyloniens tenaient leurs conseils d'administration au sommet de leurs tours à étages, les majestueuses ziggourats. 2

Aujourd'hui existent des méthodes scientifiques qui permettent de pressentir l'avenir sinon de le prédire. Il y a, par exemple, *la méthode d'extrapolation de tendances.* On essaye de deviner ce qui va se passer si un phénomène connu s'amplifie ou diminue. On cherche des réponses à des questions du genre : Que va-t-il arriver se la natalité européenne continue à chuter? Si la surpopulation de quelques pays du tiers monde s'accentue? Si la pollution chimique augmente? Si le niveau d'instruction s'élève partout dans le monde? Si les campagnes continuent à se dépeupler? Si les associations de consommateurs continuent à se développer? etc. Naturellement, l'ordinateur vient à la rescousse et crache des chiffres, des courbes en tout genre. Si l'on réunit tous ces résultats, on va obtenir une sorte de tableau complet de ce que sera la planète dans une dizaine d'années si on laisse les choses aller. L'important est de n'oublier au départ aucune donnée essentielle et d'interpréter convenablement tous ces résultats. 3

Une autre méthode de prévision s'appelle *la méthode Delphi* (elle tire son nom de la ville de Delphes, cité grecque où siégeait, assise sur un trépied, la fameuse pythie, une voyante particulièrement échevelée et vociférante). Le principe de cette méthode est simple : il consiste à consulter, sur un problème particulier, une centaine ou un millier d'experts de la question. On les prie de répondre à des questions comme celles-ci : À quoi ressembleront les villes de l'an 2000? À quoi ressemblera la vie conjugale dans trente ans? Toutes les réponses sont étudiées. On dégage soigneusement les réponses majoritaires des réponses minoritaires. Celles-ci sont jugées les plus intéressantes. Pourquoi? parce que, le plus souvent, ce sont les minoritaires qui sentent le mieux les lignes de force de l'avenir. Qu'on se souvienne des peintres impressionnistes. Ils n'étaient qu'une poignée. L'opinion majoritaire les conspuait dans les Salons où ils accrochaient leurs oeuvres. Et pourtant... et pourtant, ils avaient aperçu, avant tout le monde, qu'un paysage, un compotier de pommes, des reflets sur l'eau pouvaient être représentés différemment. *4*

Autre façon d'interroger l'avenir : une méthode qui n'a pas de nom et consiste à analyser de très près les romans de science ou de politique-fiction, la littérature et la peinture d'avant-garde. L'écrivain, l'artiste, sensibles aux signes ténus des événements, déchiffrent souvent avant l'homme politique de quoi sera fait le lendemain. Quelques journalistes, un peu philosophes sur les bords, savent eux aussi discerner dans les tourbillons du quotidien les paroles, les faits, les hommes qui vont prendre leur envol ou allumer les flammes de grandes ou de petites révolutions. Pressentir le futur avec justesse, des hommes l'ont fait dans le passé. En 1776 l'économiste anglais Adam Smith a décrit dans on livre *La richesse des nations* un atelier où l'on fabrique des épingles de façon industrielle. Il mesure les avantages du système : rapidité, précision. Les inconvénients lui apparaissent : l'ouvrier va se désintéresser d'un travail devenu stupide parce qu'émietté, subdivisé. Savez-vous qu'en 1835, il y avait un penseur français que écrivait : «Il y a aujourd'hui sur la terre deux grands peuples qui, partis de points différents, semblent s'avancer vers le même but; ce sont les Russes et les Anglo-Américains... Chacun d'eux semble appelé par un dessein secret de la Providence à tenir un jour dans ses mains les destinées de la moitié du monde»? C'était Alexis de Tocqueville. *5*

À côté de ces exemples admirables, des exemples repoussoirs où l'on découvre que quelque éminents personnages sont incapables de voir plus loin que le bout de leur nez. Consulté par Nicéphore Niepce, le grand savant anglais Humphrey Davy lui répond que l'on ne fixera jamais une image par des procédés chimiques. Quelques années plus tard pourtant, vers 1822, l'ami Nicéphore démontre le contraire en impressionnant une plaque de métal qui sera l'ancêtre de nos photographies. En 1933, c'est Rutherford, alors «pape» de la physique nucléaire, qui ridiculise l'idée de la réaction en chaîne et de la domestication de l'atome. Avant de dire que quelque chose est impossible, en matière de science et de technique, il est conseillé de tourner sept fois sa langue dans sa bouche. On risque de se casser glorieusement la figure et de laisser à la postérité l'image de la myopie intellectuelle. Mieux vaut raisonner, comme on le fait de plus en plus aujourd'hui, en termes de probabilités et dire que, compte tenu de ce que l'on sait, tel événement a 50 pour 100 ou 75 pour 100 de chances de se produire dans un délai que l'on définit approximativement. *6*

Lorsque, en compagnie de mes managers bien-aimés, je me livre à des activités stratégiques, je ne descends naturellement pas jusqu'aux tréfonds des réflexions philosophiques. Mon rôle? Encore et toujours celui d'une marchande de doute, d'une marchande de questions, d'une marchande d'imagination. Mes messieurs, je les oblige à devenir des passe-murailles du temps. Il faut que dans leurs grosses têtes s'amassent des points d'interrogation denses comme des nuées d'orage ou des nuées de sauterelles. Je leur dis à mes messieurs : « Vous avez, sous votre coude, un épais dossier vert foncé ou bleu horizon qui contient des piles de documents à vous remis par des Centres d'études prospectives. Vous les avez lus. Vous croyez avoir toute l'information? Faribole! Avant de commencer à tirer des plans sur la comète, vous allez réfléchir à l'information qui vous manque. Vous allez imaginer que pénètre dans cette pièce une sorte d'ange bienveillant, doublé d'un génie omniscient. Il sait tout sur notre avenir à vingt ans, quelles questions allez-vous lui poser? » Les « questions à l'ange » jaillissent. *7*

Je reprends : « OK, messieurs. Nous avons les questions, maintenant cherchons si ces informations que nous recherchons n'existent pas quelque part à l'état de trace, d'indice, dans un tout petit événement que vous auriez noté, dans un minuscule incident que vous auriez observé chez nous ou dans un pays étranger, dans un film que vous auriez vu. Allez, messieurs, flairez, fouinez, faufilez-vous sous buissons et taillis, le futur est peut-être là, à l'état d'empreinte légère, il a peut-être laissé une odeur, une plume ». *8*

Séance de chasse au futur. Souvent, on ramène quelque chose. Avec tous les éléments que nous possédons, nous construisons ensuite des scénarios de l'avenir, les portraits-robots de l'avenir. Nous construisons au moins trois de ces portraits. Un scénario noir, pessimiste, à mine patibulaire. Un scénario optimiste aux belles joues roses. Un scénario « avenir moyen » ni beau ni laid, mi-figue, mi-raisin. Nous examinons la situation de l'entreprise dans les trois configurations possibles. Même si mes clients sont de nature très optimiste (il faut de l'optimisme pour piloter une société commerciale ou industrielle), je les force à examiner en détail l'hypothèse la plus moche, le scénario où tout se déglingue, où tout va mal. Mieux vaut prévoir le pire. Car il arrive que le pire se produise. Je leur rappelle l'histoire du bateau *Baltic Star,* qui s'est échoué en pleine vitesse sur le rivage d'une île dans les environs de Stockholm. Que s'était-il passé? L'une des deux chaudières était tombée en panne, le compas était mal réglé, le gouvernail réagissait faiblement, le capitaine était descendu pour téléphoner, l'homme de quart faisait sa pause-café, le pilote avait parlé en anglais au marin qui tenait la barre. Ce marin était grec et plutôt dur d'oreille... Et tout le monde avait évidemment oublié qui l'on se propageait dans une région où les îlots et les îles affleuraient un peu partout. Un manager qui navigue à long terme, au long cours, a le devoir d'imaginer les récifs et les tempêtes qu'il peut rencontrer sur sa route. Il lui est défendu de dire pour sa défense : «Moi, je ne pouvais pas prévoir que...» Si, monsieur le manager, vous deviez justement prévoir que... Cela fait partie de votre job coriace, épineux, urticant. *9*

Une fois «saisies» aussi bien que possible les données du futur, nous reprenons notre problème de prévision à l'envers. Nous partons des objectifs de l'entreprise. Que voulons-nous? Voulons-nous doubler les ventes d'un type de produit? Voulons-nous conquérir un nouveau marché? Voulon-nous nous lancer dans la fabrication et le lancement d'un nouveau produit qui correspondra aux besoins à venir de futurs consommateurs? Nous dressons la liste de tous les souhaits et désirs d'une entreprise conquérante. Puis nous *confrontons* cette liste avec nos scénarios. De cette confrontation vont naître *des stratégies.* On découvrira, par exemple, qu'il faudra laisser tomber toute une série de produits ou encore développer une branche entièrement nouvelle. Peut-on faire l'un et l'autre? Comment? Avec quel argent? Avec qui? Si reconversion il y a, pourra-t-on donner une formation nouvelle aux ouvriers, aux employés? Faudra-t-il embaucher? Licencier? Devra-t-on dépenser un budget de recherche sur tel sujet ou acheter un brevet? Faudra-t-il monter une filiale? Faudra-t-il modifier l'image que le public a de la firme? Conviendra-t-il de s'entendre avec Machin-Chose, redoutable concurrent prospectif, ou faut-il s'armer pour lui rentrer dedans? etc. *10*

Deux ou trois journées de strategic planning, quel sport intellectuel ! Une sorte de football dont les parties se dérouleraient sur un terrain imaginaire (celui de l'avenir), avec des joueurs transparents et un ballon aussi fragile qu'une baudruche ou une bulle de savon. Seule apparaît réelle dans cet univers incertain et fantomatique, la *volonté* du manager. Il veut que son entreprise survive, se développe tout en échappant aux à-coups, tout en se servant des à-coups. Cette volonté constitue une terrible force. Elle refuse de subir l'événement. Plus, elle cherche à créer, à modeler l'événement, à influencer les modes de vie, à changer les données économiques d'une situation. Cette volonté va s'exercer et se concrétiser en une décision. Décider, c'est choisir une stratégie parmi toutes les stratégies imaginables (celles que nous avons essayé d'imaginer ensemble). Décider, c'est engager des hommes dans une aventure nouvelle, c'est miser de l'argent sur un projet, c'est provoquer des changements dans l'ordre des choses et dans la vie des gens. C'est un acte grave. Mieux vaut ne pas se tromper souvent. *11*

Froideur, détachement, distanciation sont indispensables aux stratèges. Si je devais dessiner le portrait des grands patrons, j'utiliserais la pointe sèche, le trait précis. J'ajouterais toutefois quelques lignes plus douces à la commissure des lèvres, au coin des yeux, sur l'aile de la narine. Il faut de la sensibilité, et de la plus fine, pour humer l'air du temps présent, l'air des temps futurs, pour s'entourer d'une équipe de qualité, pour piger vite et bien le propos et les intentions d'interlocuteurs variés, pour savoir négocier avantageusement dans les situations les plus délicates avec des partenaires *retors.* 12

Au niveau où ils se trouvent, les grands managers ne gèrent presque plus rien. Ils délèguent à des adjoints la responsabilité de toutes les décisions opérationnelles. Leur rôle est de penser, de penser, de penser. De capter pour décider. Discuteriez-vous avec l'un de ces grands patrons que vous seriez surpris. Il ne vous parlerait pas de business, de finances. Il vous parlerait de culture, de philosophie, de problèmes sociaux, de la psychologie des Chinois ou des Sud-Américains. Vous auriez parfois la surprise de découvrir que ces personnages n'ont pas de bureaux de cinéma, mais des bureaux-pensoirs plutôt sobres et dépouillés avec là, sur un mur, une très belle peinture moderne. Le plus souvent, les signes extérieurs du pouvoir ne les intéressent pas ou ne les intéressent plus. Je connais un super-PDG qui débarque le matin à son bureau dans une vieille R5 déglinguée, qui dit gentiment bonjour à tous ceux qu'il croise, qui se balade à l'occasion dans ses services, dans ses usines. Pas pour superviser, grand dieu non ! Simplement pour flairer, pour méditer sur la réalité. Et personne, je vous l'assure, ne prend ce comportement pour du paternalisme et encore moins pour de l'affectation. Ce PDG, de surcroît, est extrêmement attentif aux problèmes de relations humaines à l'intérieur de sa société. On le dit plus tolérant à une faute technique qu'à une erreur commise dans une situation de négociation ou de commandement. Ses collaborateurs, auxquels il donne le *la* par son style personnel, se le tiennent pour dit. Ils savent d'ailleurs qu'ils risquent de se faire «virer» (même si le prix de leur départ est élevé) s'ils n'observent pas les règles de ce jeu-là. 13

Le pouvoir et les responsabilités des très grands managers sont parfois gigantesques. Il arrive qu'ils règnent sur de véritables petits empires. Savez-vous que le budget de la firme IBM est voisin de celui de l'État suédois? Que celui d'ITT est, *grosso modo,* celui de l'État espagnol? Ces grosses sociétés emploient des dizaines de milliers de gens et ont des ramifications dans le monde entier. Leurs dirigeants, que l'on voit rarement apparaître sur la scène publique, sont parfois plus puissants que des hommes politiques. Dans des pays comme les États-Unis, il n'est d'ailleurs pas rare qu'ils deviennent conseillers du président, voire ministres. Leur expérience de princes de l'économie mondiale les prépare admirablement à occuper ces postes. Sens stratégique. Sensibilité. Sang-froid. Subtilité. Souplesse... telles sont les cinq vertus théologales de la profession de grand manager. 14

Florence Vidal

La leçon d'imagination

Florence Vidal

A. Compréhension du texte

1. Quelle fonction remplit le sous-titre?
2. Trouvez une paraphrase pour l'expression « chatouiller l'imagination » utilisée dans le sous-titre.

Paragraphe 1

3. Le sous-titre nous permet de dégager les deux pistes de lecture de l'article : « entreprises » et « imagination ».
   a. Relevez tous les termes du premier paragraphe qui renvoient au mot « entreprises ». Ce repérage permet déjà de faire quelques hypothèses sur l'ambiance dans laquelle l'auteur travaille. Quelles sont ces hypothèses?
   b. Relevez toutes les phrases du premier paragraphe qui se rapportent à l'imagination. Quel est le rôle que l'auteur semble accorder à l'imagination?
4. L'auteur explique deux fois ce qu'il faut entendre par le *strategic planning*. Relevez les deux définitions.
5. Relevez les deux anglicismes du premier paragraphe.
6. Ce paragraphe est riche en exemples de substituts ou de paraphrases. Illustrez à partir des termes suivants :
   a. strategic planning
   b. managers
7. Le premier paragraphe se termine avec la phrase « projeter dans le futur », « faire apparaître ». Qu'est-ce qui assure la cohésion entre les paragraphes 1 et 2?

Paragraphe 2

8. Dans ce paragraphe Florence Vidal explique *comment* on peut prédire l'avenir. Quels sont les mots clés de ce paragraphe?

Paragraphe 3

9. Ce sont *les articulateurs rhétoriques* (c'est-à-dire les mots comme d'abord, ensuite, finalement, etc., qui assurent la cohésion entre les paragraphes et qui permettent au lecteur de voir plus clairement leur enchaînement) qui mettent en lumière la construction du texte.

Expliquez ce qui assure le lien entre les paragraphes 2 et 3. Montrez comment le mot « aujourd'hui » sert d'articulateur rhétorique.

10. Comment ces deux derniers paragraphes font-ils contraste?
11. Quelle est la méthode d'aujourd'hui?
12. Relevez les termes qui montrent qu'il s'agit d'une méthode scientifique.

Paragraphe 4

13. Comment ce paragraphe se rattache-t-il au paragraphe précédent? Trouvez l'articulateur rhétorique qui assure ce lien et qui permet de suivre la progression du texte.
14. Quelle est la définition donnée de la méthode Delphi?
15. Pourquoi Florence Vidal cite-t-elle l'exemple des peintres impressionnistes?

Paragraphe 5

16. Quelles sont les marques de cohésion par rapport au paragraphe 4?
17. Trouvez des phrases équivalentes pour :
    a. une autre méthode de prévision
    b. prévoir
    c. émietté
18. Pourquoi Adam Smith et Alexis de Tocqueville sont-ils cités dans ce paragraphe?

Paragraphe 6

19. Relevez le démonstratif qui renvoie aux paragraphes précédents.
20. Comment se fait le lien entre ce paragraphe et ceux qui précèdent?
21. Trouvez dans ce paragraphe le contraire de l'adjectif « admirable ».
22. Qu'est-ce que l'auteur trouve à critiquer chez Humphrey Davy et Rutherford?
23. Quelle est l'expression qui reprend la phrase : « incapables de voir plus loin que le bout de leur nez »?
24. Quel est le conseil avancé par l'auteur à la fin de ce paragraphe?

Paragraphe 7

25. L'auteur a démontré dans les premiers paragraphes la façon dont on pouvait pressentir l'avenir hier et aujourd'hui. Quelle est la nouvelle direction que prend le texte à partir du paragraphe 7?
26. Faites la liste des expressions qui décrivent le rôle que l'auteur s'est donné.

Paragraphe 8

27. Que faut-il chercher une fois qu'on a les questions?
28. Quelle « empreinte légère » s'agit-il de découvrir? Relevez d'autres mots qui reprennent l'idée de « l'empreinte ».

29. Par quelle autre phrase Florence Vidal reprend-elle la notion d'un « tout petit événement que vous auriez noté »?
30. Faites la liste des verbes qui se rapportent à la chasse.
31. Pourquoi Florence Vidal utilise-t-elle ce vocabulaire de la chasse?

Paragraphe 9

32. Quel est l'articulateur rhétorique qui marque la progression logique par rapport au paragraphe précédent?
33. Quels sont les fruits de cette chasse?
34. Trouvez une phrase équivalente pour « scénarios de l'avenir. »
35. Trouvez une tournure imagée pour :
    a. un scénario optimiste
    b. un scénario noir
    c. un scénario « avenir moyen »
36. Relevez deux paraphrases pour la locution « où tout va mal ».
37. L'auteur utilise deux anglicismes dans ce paragraphe. Trouvez-les.

Paragraphe 10

38. Comment Florence Vidal reprend-elle la notion de sport introduite aux paragraphes 8 et 9?
39. Quelle est la phrase clé de ce paragraphe? La phrase qui le résume?
40. On n'est plus au stade des scénarios mais à l'étape de ________________ .
41. Quel est le contraire de « licencier »?

Paragraphe 11

42. Qu'est-ce qui assure le lien avec le paragraphe précédent? Relevez l'articulateur rhétorique et la reprise diaphorique.
43. À quoi compare-t-elle le « strategic planning »?
44. Quelle est la qualité du manager la plus valorisée? Pourquoi?
45. Florence Vidal définit quatre fois le verbe « décider ». Soulignez ces quatre définitions.
46. Quel est le terme générique auquel se rapportent « baudruche » et « bulle de savon »?

Paragraphe 12

47. Quels sont les deux substantifs qui résument les qualités d'un grand manager?
48. Trouvez deux synonymes pour « distanciation ».

Paragraphe 13

49. Quel semble être le rôle de ces grands managers? Un verbe est répété trois fois. Lequel?
50. Les vrais grands managers n'ont pas de bureaux de cinéma mais des bureaux-pensoirs. Pourquoi est-ce que l'auteur livre ce détail?

51. Trouvez un synonyme pour « managers ».

Paragraphe 14

52. Quelle est la fonction de ce paragraphe dans le contexte global de l'article?
53. Relevez les deux substantifs qui définissent la double charge des dirigeants des grosses sociétés.
54. À quoi peut-on parfois comparer leur pouvoir?
55. Montrez comment ce texte se répète à la fin.

B. Analyse socio-linguistique

1. À quel type de public ce texte s'adresse-t-il?
2. Pourquoi Florence Vidal l'a-t-elle écrit? En d'autres termes, quelle est la fonction de ce texte? Est-ce que l'auteur cherche à expliquer quelque chose, à persuader son lecteur à faire quelque chose? Citez des exemples pris dans le texte pour illustrer votre réponse.
3. Quel rôle jouent les anglicismes?
4. Pouvez-vous faire des hypothèses sur l'ambiance professionnelle dans laquelle Florence Vidal travaille?

C. Étude de langue

I.

L'auteur a souvent recours à une reprise des formes syntaxiques. Citez des exemples en vous rapportant aux paragraphes 1, 2, 3, 4, et 7.

II.

Remplacez les tirets par le mot ou l'expression qui complète le mieux le sens de la phrase. N'oubliez pas de faire tous les changements qui s'imposent.

cracher	épineux
se faufiler	mi-figue mi-raisin
chatouilleux	les tourbillons
les retombées	dégoûtant
coriace	les marchands
irascible	flairer
p.d.g.	fulgurant
ordinateur	de l'eau a coulé sous les ponts
à la rescousse	la mine patibulaire
sur les bords	chiffres
les nuées	émietté
retors	

Serge est un monsieur important dans sa firme. ________________ depuis l'embauchement de ce jeune loup en 1979. En neuf ans il a fait une carrière ________________ . C'est maintenant un ________________ qui, au besoin, sait se servir de son ________________ IBM et qui, comme son comptable, aime les ________________ . (En faisant l'inventaire de ses qualités il faudrait mentionner en plus qu'il ne ________________ pas dans le métro !) Pourtant, il est très ________________ quant à son amour propre. Ne lui jouez pas de tours, car il est ________________ et risquerait de ne pas comprendre la plaisanterie. En dépit de sa ________________ , ________________ de son coeur, c'est un grand incompris comme ceux dont nous avons tous lu l'histoire dans les magazines en vente chez ________________ de journaux.

En tant que p.d.g., Serge mène un rythme de vie qui est absolument fou. Un peu philosophe ________________ , il se rend compte de la nécessité de trouver une île tranquille dans les ________________ du quotidien. Écologue, il viendrait ________________ de toute bête en danger. Quand il traverse les champs, même les ________________ de sauterelles, fléau que semble apporter chaque été, ne peuvent l'arrêter. Jouissant de l'odorat sensible du chien de chasse, il sait ________________ le lapin qui pense pouvoir ________________ sous la clôture. Il regrette beaucoup que les grandes forêts aient été ________________ par l'expansion de la ville, et trouve ________________ces grands centres d'achat dont le nombre continue à croître dans toutes les banlieues.

Au fond, Serge est un individu assez énigmatique qui parle souvent sur un ton ________________ . Est-ce par peur de se compromettre? Par peur des ________________? A-t-il peur de se trouver dans une situation ________________ ? Est-ce une façon de se protéger contre ses ennemis? Il est aussi ________________ que ce bifteck trop cuit qu'on vous sert dans les restaurants américains. Sa propre volonté est la seule force qui puisse le protéger contre la stagnation et une mise aux oubliettes dans sa propre firme.

III.

Il y a plusieurs expressions idiomatiques en français qui se forment à partir du mot *pont*. Trouvez la locution du texte, puis expliquez le sens des expressions suivantes :

a. faire le pont
b. faire un pont d'or à quelqu'un

IV.

Pour chacun des termes soulignés, trouvez d'autres formes dérivées. Utilisez-les dans des phrases qui en illustrent clairement le sens.

a. Il parle des temps non encore *advenus*.
b. Elle *chatouille* l'imagination.
c. Cet horaire me *convient* parfaitement.
d. Les villes commencent à se *dépeupler*.
e. Il n'y avait qu'une *poignée* de spectateurs.
f. Il ne veut plus de ce travail devenu stupide parce qu'*émietté*.
g. Qui sait *prévoir* l'avenir?
h. Le *strategic planning* est une méthode moderne pour *pressentir* l'avenir.
i. Sa visite n'est pas certaine mais elle est *probable*.

V.

Donnez la forme nominale des verbes suivants :
a. prédire
b. prévoir
c. conquérir
d. lancer
e. confronter
f. pressentir

VI.

Quel est le contraire de :
a. minoritaire
b. être dur d'oreille
c. embaucher
d. être mal réglé
e. grosso modo

VII.

Expliquer le sens des mots ou expressions ci-dessous :
a. piger
b. les grosses têtes
c. se balader
d. donner le la
e. machin-chose
f. tutti quanti
g. se cassser la figure
h. se faire virer
i. se le tenir pour dit

VIII.

Devinette. Florence Vidal emploie quatre verbes différents pour parler de l'avenir. Quels sont ces verbes?

IX.

Déchiffrez les mots suivants qui sont dans le texte :
a. une sepua-facé
b. moertb ne nanpe
c. un esspa-elluaimr

X.

Exercices de rédaction

a. Êtes-vous d'accord avec Florence Vidal lorsqu'elle dit que l'imagination et la créativité sont parmi les éléments les plus importants de la réussite d'une compagnie?
b. La créativité et l'excentricité vont-elles forcément de pair? Préparez un dossier sur un personnage célèbre (vedette, musicien, écrivain, athlète, scientifique, etc.) qui a fait preuve d'ingéniosité, d'imagination. Analysez l'aspect extérieur de votre personnage, sa façon de s'habiller, ses habitudes, ses petites manies. La créativité, la démarche d'un grand esprit s'explique-t-elle par le mode de vie qu'il mène?

Le cinéma est mort
Vive le cinéma!

À demi-nue, la starlette Jennifer Beals se tortille dans un éblouissement disco hâché par le stroboscope. Poursuivie par un assaillant invisible, elle tire un chandail trop grand entre ses cuisses, un poing nerveux crispé sur le mont de Vénus, mais le gest de pudeur est démenti par une moue canaille. Deux couples sont confortablement calés devant l'écran avec un plat de bretzels. Un gamin de huit ans est assis par terre, le nez sur la télé. Un pleur retentit à l'étage au-dessus. La maîtresse de maison se lève, «Le petit chiale» – «Je vais en profiter pour rafraîchir la bière», dit son mari qui presse le bouton du magnétoscope, figeant la licencieuse adolescente dans son érotique invitation. Il se donne le temps d'apprécier. Le gamin, lui, enrage : on arrête toujours le film au meilleur endroit... *1*

On a bien sûr reconnu *Flashdance*, le film à succès de l'été '83. Jennifer Beals, la belle soudeuse qui a fait battre les coeurs et les caisses enregistreuses, est sans doute la première vedette de cinéma qu'on ait vue davantage chez soi, en vidéocassette, que dans les salles de cinéma. *2*

Séduits sur le tard, les Québécois se ruent enfin sur le magnétoscope. La moitié des 200 000 appareils vendus au Canada en 1983 l'ont été au Québec. Déjà près de 10 p. cent des foyers en sont équipés. Cette année on prévoit doubler les ventes, et l'an prochain également. Chez Sony à Toronto, on s'attend à une pénétration de 80 à 85 p. cent autour de 1990, un niveau voisin de celui de la télé couleur actuellement. *3*

Mais ce n'est pas pour enregistrer Denise Bombardier ou Céline Dion que les téléspectateurs achètent des magnétoscopes. C'est pour «aller au cinéma» à la maison, grâce aux films sur cassettes vidéo. On loue ces films deux ou trois dollars par jour dans des boutiques et des clubs qui poussent comme des champignons. À l'automne 82, il n'y avait que 92 clubs vidéo au Québec. Aujourd'hui près de 500. L'été prochain leur nombre pourrait avoir doublé. Cette expansion furieuse se fait dans toutes les directions. À côté d'entreprises bien structurées qui occupent le marché de façon systématique, des «bineries» offrent 150 ou 200 cassettes pour un abonnement de 9,95 dollars contre 30 ou 50 dans les grands clubs. Un marchand de tabac, une quincaillerie, un dépanneur ou une pharmacie peuvent avoir 25 cassettes en location. *4*

Aux États-Unis et en France surtout, où le petit nombre de chaînes de télévision et d'heures de diffusion l'a stimulé, le phénomène a déjà deux ou trois ans. Le taux de faillite est épouvantable. Le magazine français *Vidéo International* de septembre dernier consacre un dossier sur les moyens à prendre pour faire durer un club vidéo. Ici déjà, l'Entrepôt du vidéo se spécialise dans le rachat des inventaires de faillite. *5*

Mais qui sont les mordus du vidéo; et comment expliquer que l'explosion se soit produite en pleine récession? *6*

«Le vidéo n'a pas souffert de la crise», explique le Dr Jules-André Ménard, p.-d.g. du club Vidéo international, qui compte 20 franchises au Québec «parce que justement c'est une forme de loisir peu coûteuse».

« Les piliers des clubs vidéo, dit-il, ne sont pas des professionnels ou des cadres mais des petits employés, des travailleurs de nuit, même des chômeurs et des assistés sociaux, et beaucoup de personnes âgées. *7*

« Des gens qui ont du temps libre et cherchent des loisirs à bon compte. Pour 20 dollars, le prix minimum d'une sortie au cinéma à deux, vous avez de six à huit films à la maison, assez pour une fin de semaine – les abonnés de club louent en moyenne de trois à quatre films par semaine. D'ailleurs une partie de la clientèle n'a pas encore de magnétoscope; nous en avons 40 en location au club central et, en fin de semaine, il n'en reste jamais un seul. » *8*

Le vidéo est dorénavant une industrie en croissance exponentielle. Encore une fois, la technologie révolutionne notre univers culturel. Le grand perdant? Le cinéma en salle, « dernier refuge du rituel religieux de la culture », selon l'expression du cinéaste (et écrivain) Jacques Godbout. Le cinéma a beaucoup souffert de la télévision. Maintenant, la télé payante et, surtout, le magnétoscope, complètent l'opération « cinéma à domicile ». Finie la recherche frénétique d'une introuvable gardienne, la queue sous la pluie ou dans les rafales à 20° sous zéro pendant une heure pour se retrouver le long du mur, dans la première rangée, les yeux tordus devant une image déformée, un film rayé, une mise au point floue, le son qui grésille, sans compter le voisin qui développe son chocolat, les *previews* débiles et, depuis peu, le film coupé en deux par une pause « pipi-pop-corn ». Plus 10 dollars d'entrée, le parking et l'inévitable petite bouffe pour porter le total de la soirée à 20 ou 30 dollars. *9*

Cinémas Unis ont fermé cinq salles à Montréal l'été dernier. À Sept-Îles les deux salles sont closes depuis le printemps. À Trois-Rivières, Sherbrooke, en Gaspésie, d'autres sont en difficulté. Si on fait la queue certains vendredis soir, c'est tout bonnement que les salles sont plus petites. *10*

En fait, c'est la télévision tout court qui ferme les salles. Depuis 25 ans, le nombre d'entrées au cinéma est tombé de 80 millions par an à 17 millions. Mais on compte chaque année 700 millions de « visionnements », c'est-à-dire de « films par personne », à la maison. En d'autres mots, 96 p. cent de la consommation de films de cinéma se fait par la télévision, qu'il s'agisse de diffusion, de cablovision, de télé payante ou de cassettes. On compte désormais, en réalité, autant de salles que de foyers. Désormais, il semble que les salles seront réservées soit aux très grandes productions, du genre *Star Wars,* soit au cinéma de répertoire, et que la production courante se consommera au salon. *11*

« Les propriétaires de salles craignaient la télé payante, dit John Hinos des Cinémas Unis, mais c'est la cassette qui les a atteints. » *12*

« C'est rendu qu'il va falloir produire des films pour le vidéo », disait d'un air dégoûté René Malo, producteur et distributeur québécois, il y a trois ans. En octobre dernier, René Malo annonçait la fondation de Vidéoglobe, la plus importante entreprise de production et de distribution de vidéocassettes en langue française au Canada ! Vidéoglobe met sur le marché en moyenne 20 titres par mois. Comme on pouvait s'y attendre, les vidéophiles veulent en priorité les succès récents du cinéma américain. *Flashdance, First Blood, Porky, Godfather I et II, The Verdict,* tous disponibles en version française depuis septembre. Dans le peloton de tête, un seul titre français, *Les Uns et les autres,* de Lelouch. *13*

Le choix n'est pas si vaste : les superproductions comme *E.T.*, le *Retour du Jedi,* ne sont pas encore sur cassette. Quant aux succès français, ils sortent au compte-gouttes. On trouve plein de films de série B. Les films de John Wayne au grand complet, les vieux Brando et des brassées de navets du genre *Catherine, il suffit d'un amour* avec Olga Picot. Les films de répertoire? Quelques titres dans les clubs les plus importants. Peu en demande, dit-on. Des documentaires de l'ONF sur le sport, des shows de groupes rock célèbres, les Beatles, Pink Floyd. Et surtout des films «pour adultes». Pourtant les films érotiques ou grivois, qui constituaient 80 p. cent de la demande, ne représentent plus que le tiers environ des emplettes dans les shopping vidéo. Et quant aux pornos, qui circulaient librement il y a deux ans, c'est devenu une denrée rare depuis que la «Moralité» s'est mise à visionner à son tour ! *14*

Maintenant que la porte est ouverte au cinéma chez soi en français, comment faire son choix entre le demi-douzaine de modèles que les fabricants proposent sous 15 ou 20 étiquettes commerciales? Comme la majorité, vous devrez choisir entre le disque et la cassette. Vous éliminerez probablement le disque et c'est dommage pour trois raisons : l'image et le son sont nettement meilleurs sur disque; l'appareil de lecture est bon marché, entre 250 et 600 dollars (sept dollars par jour au lieu de 10 en location); enfin les rubans vieillissent mal alors que les disques se conservent facilement. *15*

Le défaut du disque c'est qu'il ne permet pas d'enregistrer. Beaucoupid'acheteurs n'utilisent pas cette fonction, mais veulent s'en réserver la possibilité. De plus, il existe près de 10 000 titres sur cassette, et environ 900 sur disque. Dernier inconvénient : il faut se lever toutes les demi-heures pour tourner le disque, alors qu'avec certaines cassettes, on peut rester huit heures incrusté dans son fauteuil, au point que c'en est mauvais pour le fauteuil... Pour le magnétoscope, il vous faudra opter entre le format Beta, mis au point par Sony (adopté par Sanyo, Toshiba et Zenith) et le VHS (Video Home System) de JVC, repris par Mitsubishi, Hitachi, RCA, Panasonic, Magnavox et quelques autres marques. *16*

Entre le Beta et le VHS? C'est corsé. Dans les milieux professionnnels, on prétend qu'à prix égal, l'image Beta est légèrement supérieure. *Consumer Reports,* qui avait noté des différences en 1980, assure que tous les appareils, chers ou bon marché, portatifs ou pas,

Beta ou VHS, à toutes les vitesses, ne présentent plus de différence notoire quant à la qualité de l'image. La plupart des appareils VHS ont trois vitesses, les Beta n'en ont que deux. Ainsi la vitesse SLP (Super Long Play) donne huit heures d'enregistrement sur une cassette, alors qu'on est limité à cinq heures trente avec Beta. *17*

Le choix de cassettes est plus important. Il se vend sept appareils VHS contre trois Beta, et les clubs ont tendance à offrir davantage de cassettes VHS. Les plus importants, dans les grandes villes du moins, ont tous leurs titres dans les deux formats, mais dans les petites villes, il arrive que le seul club du lieu ne tienne que le VHS. De même, si vos proches ont choisi un système, vous voudrez peut-être échanger vos cassettes... *18*

Le format choisi, il reste le modèle. L'appareil devra avancer, offrir des ralentis à diverses vitesses vers l'avant ou vers l'arrière, la recherche accélérée, et fixer les images. Commandes sans fil donnant accès à toutes les fonctions et à 105 canaux au moins, en stéréo haute fidélité, programmable trois semaines à l'avance, pouvant enregistrer huit heures de suite et portatif, et qui fasse cuire les oeufs... *19*

Aucun appareil ne peut faire tout ça, même en sacrifiant les oeufs ! Un modèle stéréo haute-fidélité existe en version portative mais sans ralenti, et la télécommande comporte un fil. Ou vice versa. De même, tel appareil de bas de gamme promet l'image fixe et le ralenti, mais quel gâchis que cette image qui sautille ou se déchire en diagonale. Assurez-vous au moment de l'achat que l'effet spécial que vous voulez est rendu de façon convenable. *20*

Les appareils qui se vendaient 3 000 dollars et pesaient 45 livres il y a quatre ou cinq ans coûtent présentement 1 000 dollars et ne pèsent que 20 livres. On trouve même des modèles simples pour moins de 500 dollars. Deux questions : leur qualité est-elle bonne? Les prix vont-ils baisser encore? *21*

Plusieurs spécialistes croient que les prix ne pourront pas descendre tellement en-dessous de 450 dollars. Ils en donnent pour preuve le marché américain, où les appareils les moins chers se sont stabilisés à 350 dollars américains. La marge de profit ne dépasse pas 12 p. cent sur ce marché fortement concurrentiel. Quant à la technologie, les magnétoscopes de la dernière génération accomplissent de façon tout à fait convenable leur fonction d'enregistrement ou de reproduction des images; ils comportent un minimum d'éléments mécaniques et semblent bien résister à l'usure. *22*

Alors? Tout dépend de l'usage auquel vous destinez votre magnétoscope. *23*

Si on veut surtout voir du cinéma en cassettes, on pourra se satisfaire d'un modèle «de base», vendu à environ 500 dollars. Jusqu'à 650 dollars, on aura droit, le plus souvent, au rembobinage automatique en fin de projection, à l'accéléré pour sauter les passages ennuyeux ou les commerciaux s'il s'agit d'une émission télé, et à l'arrêt sur une image. Mais on aura un fil à travers le salon pour les commandes. On trouve un appareil Beta à commande sans fil à 600 dollars (Sanyo VER4900), alors que chez VHS on doit endurer le cordon jusqu'à 800 dollars. *24*

Les mordus du sport, qui enregistrent des matchs pour revoir le détail d'un point marquant, exigeront le défilement image par image et l'avance au ralenti. Aucun modèle de moins de 1 000 dollars n'offre ces deux fonctions de façon satisfaisante. *25*

Si vous ne tolérez pas de manquer vos trois téléromans préférés pendant vos vacances aux Bahamas, vous choisirez l'appareil qui offre les plus grandes possibilités de programmation. Dans la famille VHS, certains modèles permettent de programmer huit émissions sur 21 jours. En Beta on ne va pas au-delà de 14 jours. Les appareils de bas de gamme ne permettent qu'une seule émission en un ou plusieurs jours. *26*

Les amateurs de grande musique ou de concerts rock exigeront la stéréophonie, disponible à partir de 1 000 dollars. La haute-fidélité (entre 1 200 et 1 700 dollars) est une exclusivité Beta pour le moment. Selon des techniciens du son, la qualité sonore du Sony Hi-Fi est comparable à celle des magnétophones suisses Nagra, qu'on utilise dans les studios de radio et de télé et qui coûtent 4 000 dollars et plus (pour le son uniquement). *27*

Cinq têtes valent mieux que deux? Pas forcément dans le cas des magnétoscopes. Chez VHS on a tendance à multiplier les têtes d'enregistrement, de lecture, d'effacement, pour stabiliser l'image au ralenti; ou pour l'enregistrement/lecture à la plus basse vitesse. Mais l'image produite par les deux têtes des modèles de haut de gamme de Beta n'a rien à envier à celle de ses concurrents. *28*

Si vous songez à tourner vos propres films, il vous faudra un appareil de haut de gamme, préférablement portatif pour tourner en extérieur. Entre 1 200 et 1 500 dollars vous aurez un magnétoscope garantissant un minimum de précision pour faire du montage et vous obtiendrez un niveau de résolution de l'image qui rendra moins flagrante l'inexpérience du cameraman. Un mot seulement de la Betamovie, l'ensemble caméra-magnétoscope de Sony qui pèse au total environ cinq livres et se vend 2 000 dollars. C'est plus gros qu'un paquet de cigarettes, mais quel chemin en comparaison du kit vidéo des années 60 ! *29*

Et c'est bien là le nuage dans le ciel de la vidéocassette actuelle d'un demi-pouce : le quart de pouce, avec les mêmes performances, permettra de réduire considérablement le volume de cette quincaillerie. Les appareils sont déjà sur les tables à dessin des ingénieurs, mais on ne les verra pas sur le marché avant deux ans. Il n'existe pas de documents pour les alimenter et le demi-pouce durera encore 10 bonnes années. *30*

Vous êtes maintenant en mesure d'évaluer la rentabilité de votre investissement sur un magnétoscope d'un demi-pouce... 31

Il s'agit de diviser la somme que vous songez à investir par le nombre d'heures d'utilisation hebdomadaire, multipliée par un coefficient de satisfaction relative. De soustraire le prix des entrées au cinéma, du pop-corn et du parking et d'ajouter le coût de la bière. Sans oublier de calculer la location des cassettes et le temps de déplacement... en tenant compte de la perte du rendement sur le capital investi et de l'usure des fauteuils. Multipliez enfin le résultat par un facteur exponentiel de dépit quand vous verrez vos voisins acquérir le dernier modèle au fil des années. Vous aurez alors en main les données indispensables à une décision de consommateur averti. 32

Maurice Roy

Le cinéma est mort : Vive le cinéma

Maurice Roy

A. Compréhension du texte

Paragraphe 1

1. Relevez les deux phrases-clés qui montrent ce qu'il y a de contradictoire dans le comportement de la jeune starlette.
2. Relevez les mots du paragraphe qui veulent dire :
   a. installé
   b. un enfant
   c. crier
   d. la télévision
3. De combien de personnages s'agit-il dans ce premier paragraphe?

Paragraphe 3

4. Dans cet article il sera question du marché du vidéo : dans quelle province?
5. L'avenir du vidéo semble-t-il prometteur? Quel procédé sert à souligner l'optimisme de l'auteur?

Paragraphe 4

6. Quel est le mot clé de ce paragraphe?
7. Montrez comment s'établit le lien entre ce paragraphe et le précédent.

8. Où peut-on louer des cassettes-vidéo?
9. Trouvez le substantif dérivé du verbe « louer ».

Paragraphe 5

10. Comment ce paragraphe constitue-t-il une progression logique par rapport au quatrième?
11. « . . . le phénomène a déjà deux ou trois ans ». De quel phénomène est-il question ici?
12. Trouvez le mot du texte qui est le contraire de « réussite », « succès ».

Paragraphe 6

13. Quelle est la fonction de ce paragraphe?

Paragraphe 7

14. Quelles classes sociales semblent s'enthousiasmer le plus pour le vidéo? Pourquoi?
15. Quel mot du texte veut dire « strong supporters »?

Paragraphe 8

16. Soulignez la phrase qui reprend les idées présentées au paragraphe 6.
17. Trouvez un synonyme pour « les abonnés du club ».

Paragraphe 9

18. Quel est le mot clé de ce paragraphe?
19. Quels sont les inconvénients que peut présenter une sortie au cinéma?
20. Trouvez les adjectifs synonymes de :
    a. qui manque de précision
    b. stupide

Paragraphe 10

21. Comment ce paragraphe est-il relié au précédent?

Paragraphe 11

22. Comment traduirait-on « visionnements » en anglais?
23. Citez la phrase qui résume le contenu de ce paragraphe.
24. La télé d'aujourd'hui n'est plus celle d'il y a vingt-cinq ans. Quels ont été les nouveaux développements dans ce domaine?

Paragraphes 12, 13

25. Quel est l'ennemi le plus redoutable : la télé payante ou la vidéo-cassette?
26. *Flashdance, First Blood, Porky, The Verdict* sont tous des exemples de ________________ .

Paragraphe 14

27. Quel est le sujet de ce paragraphe?
28. Quelles sont les catégories de films les plus disponibles?
29. D'après ce texte, quel est le sort réservé aujourd'hui aux films pornos?

Paragraphe 15

30. Quel est le mot clé de ce paragraphe?
31. Montrez comment ce paragraphe constitue la suite logique du précédent. De quel choix s'agit-il ici?
32. L'auteur lui-même, a-t-il des idées bien arrêtées sur la logique du paragraphe?

Paragraphe 16

33. Quel est le contraire du mot « qualité »?
34. Faites la liste des inconvénients présentés par le disque.

Paragraphe 17

35. Quel est l'intérêt de ce paragraphe?

Paragraphe 18

36. Compte-tenu du choix de cassettes disponibles, quel appareil semble le plus intéressant?

Paragraphe 19

37. Quel est le sujet de ce paragraphe?
38. Trouvez les mots du texte qui signifient :
    a. slow-motion forward
    b. fast search
    c. a channel
    d. to freeze (image)
39. Quel est le ton de ce paragraphe? Justifiez votre réponse.

Paragraphe 20

40. Trouvez le mot qui résume le contenu de ce paragraphe et qui renvoie au sujet du paragraphe précédent.

Paragraphe 21

41. L'auteur parle de trois aspects des appaerils. Quels sont-ils? (Répondez à cette question en employant un substantif pour chacun des trois aspects.)

Paragraphe 22

42. A quelles questions ce paragraphe répond-il?
43. Quelles sont les deux fonctions de base d'un magnétoscope?

Paragraphes 23, 24, 25, 26, 27

44. De quel aspect des magnétoscopes est-il question ici?
45. Faites la liste des différents emplois auxquels se prête le magnétoscope. Comment les performances sont-elles différentes à chaque fois?
    emploi *performance*

1.
2.
3.
4.

Paragraphe 28

46. Comment ce paragraphe se relie-t-il aux précédents?

Paragraphe 29

47. Quel appareil faut-il avoir pour pouvoir tourner ses propres films?
48. Relevez les anglicismes dans ce paragraphe.

Paragraphe 30

49. Trouvez l'expression qui veut dire « l'inconvénient, le problème »
50. Quelle est l'épaisseur de la vidéo-cassette actuelle? Quelle est l'épaisseur souhaitée? Pourquoi?

Paragraphe 31

51. Trouvez les mots du paragraphe qui signifient :
    a. être capable de
    b. un placement
    c. ce qui rapporte des profits

Paragraphe 32

52. Ce dernier paragraphie se présente sous forme de problème mathématique à résoudre. Relevez tous les termes et locutions qui renvoient aux mathématiques.
53. En quoi consiste l'humour de ce paragraphe?
54. Donnez un équivalent en français pour « informations ».

B. Analyse sociolinguistique

1. À quel type de public ce texte s'adresse-t-il?
2. Dans quel but a-t-il été écrit?
3. Quelle est la fonction principale de cet article (fonction expressive, fonction conative, etc. Voir le glossaire.)? Citez des exemples à l'appui de votre réponse.
4. Qu'est-ce qui permet de situer ce texte dans un contexte canadien?

C. Étude de langue

I.

Servez-vous du vocabulaire de base pour préparer des phrases ayant chacune le ton ou la valeur indiqué(e) entre parenthèse. À vous d'imaginer le contexte.

a. (amusant)
   la starlette
   crispé
   un assaillant
   figer
b. (ironique)
   les salles de cinéma
   le foyer
   l'appareil
   la vente
   la télé en couleur
   le magnétoscope
c. (triste)
   un éblouissement disco hâché
   un pleur
   une soudeuse
   licentieux
   retentir
d. (lyrique)
   un éblouissement
   raffraîchir
   démentir
e. (explicative)
   se ruer sur
   les mordus du vidéo
   enregistrer
   les téléspectateurs
   les cassettes-vidéo

II.

Trouvez dans la liste ci-dessous l'expression qui correspond à chacune des définitions données :

à prix égal
se ruer sur
pousser comme des champignons
consommateurs avertis
la maîtresse de maison
rafraîchir
à bon compte
un navet
être disponible
le nez collé
tourner
un gamin
le peloton de tête
plein de
à demi-nu
calé
chialer
au-dessus

a. se précipiter sur ________________
b. partiellement dévêtu ________________
c. pour le même prix ________________
d. (fam.) installé confortablement ________________
e. rester obstinément devant ________________
f. (pop.) pleurer ________________
g. l'étage supérieur ________________
h. refroidir ________________
i. un enfant ________________
j. l'épouse ________________
k. faire des films ________________

l. (fam.) beaucoup de ________________
m. un très mauvais film ________________
n. à bon marché ________________
o. (loc. fig.) se développer très vite ________________
p. des acheteurs bien informés ________________
q. être à la disposition de ________________
r. (fig.) les premiers ________________

III.

Que représentent les sigles suivants :
p. cent
p.d.g.
O.N.F.
C.R.T.C.

IV.

Chacune des définitions suivantes correspond à une expression idiomatique formée à partir du mot « plein ». Quelle est cette expression?
a. rempli ________________
b. occupé et content de soi-même________________
c. avoir le visage rond ________________
d. la lune à son maximum ________________
e. travailler huit heures par jour ________________
f. être en bonne santé ________________
g. vivre dehors ________________
h. avoir beaucoup d'argent ________________
i. en avoir assez ________________

V.

Faites une rédaction d'une page où vous employez cinq expressions apprises dans l'exercice IV.

VI.

Donnez l'équivalent anglais des mots suivants :
a. les vidéophiles ________________
b. actuel (adj.) ________________
c. la télé payante ________________

d. câblovision ____________________
e. portatif ____________________
f. un marchand de tabac ____________________
g. la quincaillerie ____________________
h. un dépanneur ____________________
i. le Retour du Jedi ____________________
j. que le spectacle commence ____________________
k. les modèles de haute gamme ____________________
l. un assistant social ____________________

VII.

Exercices de rédaction

a. Êtes-vous d'accord avec Jacques Godbout qui affirme que le cinéma en salle est le «dermier refuge du rituel religieux de la culture»?
b. Outre le divertissement et les loisirs, voyez-vous d'autres domaines dans lesquels le vidéo pourrait jouer un rôle utile? Expliquez comment.
c. Est-ce que le nombre croissant de VHS dans nos foyers indique la recherche d'une vie intellectuelle plus riche ou plutôt le contraire?
d. Puisqu'un magnétoscope permet d'enregistrer et d'accumuler des informations en masse, pensez-vous que notre société soit mieux informée que celle d'il y a une génération?
e. Un appareil VHS permet à un individu d'enregistrer des spectacles ou des films qui passent à la télévision. Que deviennent alors les droits d'auteur? Comment les artistes pourraient-ils être indemnisés pour l'enregistrement et le ré-emploi non autorisés du matériel qui, en fait, leur appartient?
f. *La nouvelle pédagogie.* Préparez un dossier dans lequel vous expliquez comment un VHS pourrait rendre les classes de français plus vivantes.

La TV pas payante

Le premier février dernier, on lançait la nouvelle merveille de l'industrie du divertissement, la télévision payante, dans le tapage, le champagne et les ballons multicolores des grosses promotions à l'américaine. Hollywood-Nord, enfin ! *1*

Financiers et producteurs, distributeurs et artistes tenaient enfin la poule aux oeufs d'or et firent monter les enchères. Salaires, tarifs, droits, cachets et budgets prirent leur essor comme des montgolfières gorgées d'air chaud. Neuf mois plus tard, les détenteurs de permis du CRTC étaient en aussi bonne forme que les survivants du Royal 22 sur les plages de Dieppe six heures après le débarquement ! *2*

Les consommateurs n'ont pas mordu... *3*

Les Canadiens ont peut-être moins peur que les Américains de sortir en ville le soir. Ils sont peut-être plus économes. Ils ne se sont pas précipités, en tout cas, pour payer 30 dollars le décodeur et 15 dollars par mois par canal, un produit qu'ils ne connaissaient pas. Pour la majorité, la télévision payante est restée cette série de zigzags frustrants sur lesquels on tombe parfois en «pitonnant». *4*

First Choice/Premier Choix s'était promis 600 000 abonnés pour l'automne. Fin octobre, elle tirait à 325 000. Tévec compatit sur 133 000 abonnés francophones après un an. Début novembre, elle était en panne avec moins de 22 000 abonnés, et en perdait une centaine par semaine. *5*

L'inévitable a mis six mois à se produire : les folies dépenses du printemps sont devenues des comptes en septembre et octobre. Octobre et novembre furent des mois de pleurs et de grincements de dents, de négociations urgentes, intenses et secrètes. Entre Québec et Ottawa, Montréal et Toronto, ce fut le chassé-croisé des entrepreneurs et des avocats, des lobbyistes et des politiciens, dans un imbrogli économique, culturel et politique comme seuls le Canada et son Québec peuvent en engendrer. *6*

First Choice/Premier Choix, la chaîne nationale qui diffuse 24 heures par jour, dans les deux langues, est passée à un cheveu de la faillite. Tévec, famélique, endettée, vivant d'expédients et d'espoir depuis l'été, passa très près de mettre la main sur une subvention de Québec – sept millions de dollars, peut-être – qui lui aurait permis d'acheter Premier Choix, sa rivale deux fois plus grosse qu'elle. Le CRTC (Conseil de la radiodiffusion et des télécommunications canadiennes) faillit perdre sa crédibilité, et le gouvernement du Québec, toujours très actif à l'arrière-plan, faillit devenir un joueur de premier plan. *7*

Mais, finalement, rien de tout ceci n'est arrivé... *8*

Car avec un *timing* si parfait qu'il semble «arrangé avec le gars des vues», M. Harold Greenberg, homme d'affaires montréalais, patron d'Astral-Bellevue-Pathé, une des plus grosses «boîtes» de cinéma du pays, et membre en règle de l'empire Bronfman, se présente, le 28 octobre, aux bureaux torontois de First Choice/Premier Choix muni d'un chèque visé de 8,4 millions de dollars et d'un contrat de plusieurs dizaines de pages en disant : « J'achète ! »

9

Treize jours plus tard, le CRTC, qui avait déjà refusé deux fois un permis à Greenberg parce qu'il finance et distribue des films (*Porky, Maria Chapdelaine*), entérine la transaction.

10

« Le CRTC ne pouvait condamner First Choice à mort, et nous étions les seuls à pouvoir la renflouer », explique Greenberg, enfin propriétaire (à 58,5 p. cent) d'une chaîne de télévision payante qui perdra 21 millions de dollars cette année.

11

First Choice est donc sauvée et garde Premier Choix (43 000 abonnés); Tévec ne vaut plus très cher. Le gouvernement du Québec remet à plus tard la revanche qu'il compte prendre contre le fédéral qui le frustre depuis 15 ans dans le domaine des communications. À Edmonton, le riche et astucieux Dr Charles Allard, propriétaire de Superchannel, la seule chaîne qui a du vent dans les voiles, planifie la deuxième manche de la guerre à finir qu'il livre à First Choice.

12

Le lendemain de la décision du CRTC, Harold Greenberg accorde une entrevue à *L'Actualité* dans cette grosse ruche bourdonnante qu'est le quartier général d'Astral-Bellevue-Pathé, voisin des studios de l'Office national du film à Montréal. Non, il n'a pas célébré : il avait trop à faire. Harold Greenberg, 53 ans, est en affaires. Son équipe repense déjà la mise en marché, concocte un blitz publicitaire. Ses spécialistes ont déjà établi un seuil de rentabilité plus bas. Un budget d'acquisitions plus modéré. First Choice a 325 000 abonnés; elle doit en compter 500 000 d'ici février. Passé ce cap, il ne sera plus nécessaire d'investir des sommes supplémentaires. Le seuil de rentabilité est à 700 000 abonnés. Il sera atteint dans un an. Harold Greenberg vient tout juste de parier 8,4 millions de dollars qu'il y parviendra.

13

Harold Greenberg s'est lancé en affaires en ouvrant une boutique d'appareils-photo à Montréal voilà une trentaine d'années, et il est devenu riche et puissant en gagnant ce genre de paris.

14

Ce qui transparaît dans ses propos – mais il est trop prudent pour l'énoncer clairement en public – c'est qu'il modifiera la trajectoire de First Choice pour la piloter vers les eaux tièdes et calmes de la rentabilité parce que, lui, connaît à fond cette industrie folle et dangereuse. Il connaît le produit, le marché et les marchands comme un boutiquier connaît l'inventaire de son échoppe. Et il est assez riche pour perdre de l'argent le temps qu'il faudra sans perdre son calme…

15

« La télévision payante a grandement surestimé le nombre d'abonnés des premiers mois, dit Greenberg. Et elle a dépensé son argent en fonction de projections fantaisistes. Les dépenses de programmation de First Choice représentaient 95 p. cent de ses revenus réels ! Si la programmation coûte plus de 70 p. cent, ça ne peut pas marcher… »

16

«Tout le monde est parti en peur durant les premiers mois. Nous étions tous très optimistes !» dit M. Claude Piché, qui était alors le directeur de la programmation de Premier Choix. «La concurrence était très vive et il était essentiel de nous tailler, dès le départ, une position favorable sur le marché. Or, des grands films récents, il n'y en a pas des milliers. Alors, les prix ont grimpé.» 17

«Les chaines de télévision payante se sont trouvées coincées entre les distributeurs de films et les câblo distributeurs, sans qui on ne pouvait livrer le produit aux clients», dit M. Peter Lyman d'Ottawa, spécialiste en communications et actionnaire de Tévec. 18

Le malheur de la télévision payante est, évidemment, de ne pas avoir de commanditaire, de multinationales comme Alcan ou Esso, prêtes à dépenser des millions pour des productions de prestige dont on fait aussi les campagnes de promotion. 19

C'est cette stratégie – mettre le paquet pour séduire la clientèle – qui a fait long feu. Une étude de marché, réalisée juste avant la mise en ondes, concluait que le seuil de rentabilité d'une chaîne de télévision payante au Québec est de 93 000 abonnés. Fin octobre, les trois chaînes concurrentes au Québec s'en partageaient 84 500... 20

«Au printemps, les ventes ont décollé tèl que prévu, pour toutes les chaînes», dit M. Michel Perreault, analyste à la maison Alfred Bunting de Montréal, et actionnaire de Tévec. «Il y eut un creux en été, prévu lui aussi. C'est à l'automne que la reprise s'est mal enclenchée.» 21

«La mise en marché fut un échec coûteux», estime Mme Danielle Sauvage, responsable de l'achat des films à Premier Choix. «La télé payante a tout de suite eu mauvaise presse. Il y eut d'abord la controverse sur les émissions Playboy et les films pornographiques, puis les tiraillements politiques du côté de Québec, et enfin les articles sur les difficultés financières de l'industrie.» 22

«La publicité a été mal orientée, poursuit Michel Perreault. Les chaînes ont dirigé leur réclame l'une contre l'autre, mais personne n'a pris le temps de vendre l'idée même de la télévision payante à la population. Les gens croient encore que c'est un autre canal, pour lequel il faut payer, alors qu'en fait, c'est un substitut des salles de cinéma ou de la Place des Arts. On ne pitonne pas, avec la télévision payante; on établit son horairz personnel deux ou trois semaines à l'avance. Cela n'a pas été expliqué, et les gens se sont plaints de voir le même film diffusé plusieurs fois !» 23

Chacun, dans ce petit milieu où tout le monde se connaît pour s'être déjà parlé à Cannes ou à bord du jet Montréal-Los Angeles, savait que la télévision payante devait perdre de l'argent pendant quelques années. Le cinéma, la télévision sont des industries au folklore bien particulier. Des entreprises à risque élevé. Qui se ballade en taxi cette année peut bien rouler en Rolls Royce l'an prochain. Ou en métro. 24

Mais les banquiers, et les administrateurs des caisses de retraite ou des compagnies d'assurances, ont une pratique beaucoup plus sage du capitalisme. Ils préferent les entreprises avec une tradition et un... inventaire, c'est-à-dire un actif négociable en cas de faillite. Quand First Choice, puis Tévec offrirent en Bourse des actions destinées à « financer leurs opérations » (en clair : à payer leurs dettes envers les distributeurs de films...) ils trouvèrent une oreille aussi attentive que Mme Monique Simard de la CSN à la soirée des Grands Montréalais... *25*

« Les investisseurs n'ont pas mordu parce que les titres n'étaient pas alléchants, tout simplement : » explique M. Jean-Paul Caron, analyste à la Banque Nationale. « La télévision payante, si elle fait faillite, n'est plus rien que du vent ! » *26*

Dès 1978, le gouvernement du Québec avait des ambitions, des projets, une politique en matière de télévision payante. Mais il s'est fait tirer le tapis de sous les pieds par le gouvernement fédéral. Cet automne, le Gouvernement était d'autant plus sensible aux appels au secours de Tévec – soutenue par les puissantes associations montréalaises des producteurs et des distributeurs de films, à qui Tévec devait une fortune – qu'il voyait la possibilité d'attaquer Ottawa sur un flanc dégarni. Mais hanté par la peur d'un « Tricofilm », Québec progressa avec une prudence de chat échaudé... *27*

« Nous sommes persuadés que la télévision payante est installée au Québec à demeure, dit M. Jean-François Bertrand, mais il nous semble évident que c'était une grave erreur du CRTC de croire que le marché francophone peut faire vivre plus d'une chaîne. » *28*

« Si le Canada était un pays normal, la télévision payante aurait fait son apparition ici en 1972 en même temps qu'aux États-Unis. Plusieurs entreprises auraient tâté du marché, deux ou trois auraient survécu. Elles présenteraient les grosses productions américaines, et on n'en parlerait plus. Mais ici, il y a le CRTC... » dit M. John K. Errell, analyste en communications à Montréal. *29*

En accordant ses permis, le CRTC tentait d'atteindre plusieurs objectifs fort louables. Il tenait à assurer un contenu canadien maximale pour raviver l'industrie du cinéma et de la télévision d'ici. Soucieux, aussi, de soutenir le bilinguisme, le CRTC obligea la chaîne nationale, First Choice/Premier Choix à diffuser dans les deux langues d'un océan à l'autre. Pour assurer enfin l'expression des particularités culturelles régionales, le CRTC accorda des permis régionaux, comme Tévec ici, ou Star Channel, dans les Maritimes. *30*

Pour la plupart des spécialistes, les problèmes de la télévision payante étaient en germe dans ces exigences, en contradiction avec les données du marché. Pour diffuser dans l'ouest, Premier Choix paie un million de dollars de satellite par année. Or, elle n'a pas 700 abonnés francophones à l'ouest de Toronto ! *31*

Le cinéma canadien ne produit pas assez de bons films pour alimenter le marché vorace de la télévision payante. Des navets produits à Toronto furent traduits en français et vendus au prix fort aux chaînes françaises obligées de les acheter. Les chaînes régionales en vinrent à établir une programmation en tout point semblable à celle de la chaîne nationale. De plus, le Dr Allard, d'Edmonton, se mit à racheter les permis régionaux de l'Ontario, des Prairies, du Yukon et bientôt de Colombie Britannique, créant une chaîne nationale officieuse, que échappe à l'obligation d'être bilingue. *32*

«On voit ça souvent, aux Olympiques : un faux départ, dit M. Guy Morin. Je pense que c'est ce qui est arrivé à la télévision payante. Après un an, on comprend mieux cette industrie et son marché. Je pense que maintenant, les bons acteurs vont remplir les bons rôles.» *33*

M. Guy Morin doit savoir de quoi il parle. Il était président de la Société de développement des industries culturelles et des communications (SODICC), à Québec, qui suivait le dossier Tévec de si près. En juin dernier, il est devenu vice-président à... CFCF, à Montréal. Une télévision «traditionnelle», que la télévision payante devait faire trembler sur ses bases... *34*

Benoît Aubin

La TV pas payante

Benoît Aubin

A. Compréhension du texte

1. Pourquoi le titre de l'article est-il bien choisi?
2. Relevez les deux mots du sous-titre qui expliquent pourquoi la télévision n'est pas payante.
3. Trouvez un synonyme pour l'adjectif «grand».

Paragraphe 1

4. Quels sont les détails qui montrent que le lancement de la télévision payante a été vu comme un grand événement?
5. Quel est le mot clé de ce paragraphe?

Paragraphe 2

6. Quel est le procédé stylistique sur lequel se construit ce paragraphe?
7. Citez deux expressions qui montrent l'optimisme qui entoure le lancement de la télé payante.

Paragraphe 4

8. Comment ce paragraphe se relie-t-il à la seule ligne du paragraphe 3? À quelle question ce paragraphe répond-il?
9. Quels sont les frais mensuels que doit payer un abonné à la télévision payante?

Paragraphe 5

10. Que montrent les chiffres cités dans ce paragraphe?

Paragraphe 6

11. Montrez comment ce paragraphe est la suite logique du paragraphe précédent.

Paragraphe 7

12. Quelle est la chaîne concurrente de First Choice/Premier Choix au Québec?
13. Relevez les adjectifs qui décrivent cette chaîne québécoise.

Paragraphe 9

14. Qui est Harold Greenberg?

15. Quel rôle joue-t-il dans l'histoire de First Choice/Premier Choix?

Paragraphe 10

16. Que représente le sigle CRTC?
17. Que signifie le verbe «entériner» («il entérine la transaction»)?

Paragraphe 11

18. Est-ce que Greenberg a fait une bonne affaire en achetant First Choice?

Paragraphe 12

19. Premier Choix compte combien d'abonnés?
20. Pourquoi le gouvernement du Québec veut-il prendre la revanche contre le fédéral?
21. Que signifie l'expression «avoir du vent dans les voiles»?
22. Quelle est la chaîne concurrente de First Choice?

Paragraphe 13

23. Trouvez le mot pour «headquarters».
24. Relevez les termes qui appartiennent au champ lexicale «les abeilles». Pourquoi cette métaphore est-elle efficace? Citez d'autres exemples du texte pour justifier votre réponse.
25. Faites la liste de tous les termes qui renvoient au monde des affaires.
26. Résumez en une phrase le contenu de ce paragraphe.
27. Trouvez le mot du texte qui veut dire «to bet».

Paragraphe 14

28. Comment ce paragraphe se relie-t-il à ce qui précède?
29. Trouvez un substantif dérivé du verbe «parier».
30. Comment dit-on en français «a camera shop»?

Paragraphe 15

31. Donnez les mots du texte qui veulent dire :
    les paroles
    le chemin
    le temps nécessaire
32. Trouvez une autre phrase du texte qui reprend l'idée de celle-ci : «(il) connaît à fond cette industrie».
33. Quel est l'adjectif qui décrirait le mieux le caractère de Harold Greenberg?

Paragraphe 16

34. Quel est le verbe clé de ce paragraphe?

Paragraphe 17

35. Comment ce paragraphe constitue-t-il la suite logique du précédent?

36. Qu'est-ce qui a coûté très cher dans la programmation?

Paragraphe 18

37. Relevez l'expression du texte qui veut dire « se trouver dans une situation difficile ».
38. Les chaînes de télévision payante ne sont pas complètement indépendantes. Expliquez pourquoi.

Paragraphe 19

39. Étant donné le contexte, pouvez-vous faire des hypothèses sur le sens du mot « commanditaire »?

Paragraphe 20

40. Relevez l'expression figurée qui veut dire :
    a. ne pas atteindre son but
    b. donner son maximum
41. Que représentent les deux chiffres cités dans ce paragraphe?

Paragraphe 21

42. Quel est le mot clé de ce paragraphe?
43. Quel autre terme du paragraphe reprend l'idée du verbe « décoller »?
44. Quels mois de l'année constituent d'habitude *la saison morte* quant à la vente des abonnements?

Paragraphe 22

45. Connaissez-vous un autre terme pour « la mise en marché »?
46. Quelle locution veut dire « avoir mauvaise réputation »?
47. Qu'est-ce qui a nui à la télévision payante?

Paragraphe 23

48. Quelle est la phrase clé de ce paragraphe? Justifiez votre choix.

Paragraphe 24

49. Expliquez comment ce paragraphe renvoie aux idées déjà présentées dans l'article.
50. Mettez en anglais la phrase suivante :
    « Le cinéma, la télévision sont des industries au folklore bien particulier. »
51. Trouvez l'équivalent français de « high-risk undertaking ».
52. Quel exemple l'auteur emploie-t-il pour illustrer que le domaine du divertissement offre peu de stabilité financière?

Paragraphe 25

53. Dans ce paragraphe il est question de l'achat de ________________ .
54. Pourquoi les banquiers et les gens d'affaires se montrent-ils réticents?

Paragraphe 26

55. Montrez que ce paragraphe constitue la suite logique du précédent.

Paragraphe 27

56. Depuis quand le gouvernement du Québec s'intéresse-t-il à la télé payante?
57. Comment expliquer le fait qu'il n'a rien réalisé dans ce domaine?

Paragraphe 28

58. Trouvez une expression équivalente de «pour toujours» dans le paragraphe.

Paragraphe 29

59. Pourquoi l'auteur considère-t-il le Canada comme un pays anormal?

Paragraphe 30

60. Quel est le mot clé de ce paragraphe?
61. Les problèmes de la télévision payante sont-ils uniquement d'ordre financier?

Paragraphe 32

62. Quelle est la fonction de ce paragraphe?
63. Quelle est la différence entre «officiel» et «officieux»?

Paragraphe 33

64. En quels termes M. Guy Morin résume-t-il le passé de la télé payante?

Paragraphe 34

65. En dernier lieu, la télé payante pose une menace à la télé ________________ .
66. Mettez en anglais :
    «... les bons actueurs vont remplir les bons rôles.»
67. Sur quel ton le texte se termine-t-il? Quel est le rapport entre le début et la fin de ce texte?

B. Analyse sociolinguistique

1. À quel type de public ce texte s'adresse-t-il?
2. Quelle est la fonction principale de cet article? (expliquer, défendre un point de vue, offrir des encouragements, etc.)
3. À quel domaine le vocabulaire technique et spécialisé appartient-il généralement?

C. Étude de langue

I.

Complétez chacune des expressions idiomatiques suivantes en vous servant de la définition fournie :

a. ne pas faire tout de suite	remettre ______
b. se dit d'une personne qui est en train de réussir	avoir le vent ______
c. connaître parfaitement	connaître ______
d. ne s'est pas laissé prendre	le public ______
e. donner son maximum	mettre ______
f. ne pas atteindre son but	faire ______ feu
g. avoir mauvaise réputation	avoir mauvaise ______
h. couper l'herbe sous les pieds de quelqu'un	tirer le tapis ______
i. en permanence	______ demeure

II.

Donnez les expressions idiomatiques demandées : elles contiennent toutes le mot *chat*.

a. avoir la voix rauque	avoir ______ dans la gorge
b. une mésaventure rend prudent à l'excès	______ craint l'eau froide
c. toilette sommaire	______
d. il n'y a absolument personne	______
e. avoir d'autres affaires en tête	______
f. s'avouer incapable de trouver une solution	______
g. avoir de la haine l'un pour l'autre	vivre comme ______
h. les subordonnées s'émancipent quand le maître n'est pas là	______

III.

Chaque mot est suivi de deux définitions. Choisissez la bonne.

a. la manche	1. partie d'un outil, d'un instrument par laquelle on le tient
	2. partie du vêtement
b. être coincé	1. se trouver dans un coin
	2. être incapable de bouger
c. un actionnaire	1. un individu qui s'occupe de l'estimation des objets

mobiliers et de leur vente aux enchères.
2. un individu possédant des actions

d. un membre *en règle*
1. qui a payé sa cotisation
2. qui suit toutes les règles

e. un imbroglio
1. une situation confuse
2. un mot de passe

f. engendrer
1. changer de genre
2. procréer

g. endetté
1. ayant des dettes
2. têtu

IV.

Dans cet exercice vous allez trouver dix mots, phrases ou expressions. Chacun devrait vous faire penser à un nom qui se termine en -AIRE. Les tirets indiquent les lettres qui manquent.

a. agent de police ___________AIRE
b. un individu possédant des actions ___________AIRE
c. qui possède un ou plusieurs millions _____________AIRE
d. âgé de quatre-vingts ans ___________AIRE
e. personne qui possède _____________AIRE
f. personne qui occupe un emploi permanent dans une administration publique _______________AIRE
g. intermédiaire qui a reçu un droit de vente dans une région __________________AIRE
h. personne qui loue un logement ________AIRE
i. (terme vieilli) pharmacien (ne) ___________AIRE
j. prêtre qui aide le curé ____AIRE
k. personne préposée à une bibliothèque _________________AIRE

V.

Connaissez-vous une autre expression idiomatique construite sur le modèle «vivre d'expédients et d'espoir»?

VI.

Pour chacun des verbes suivants donnez un dérivé à la forme indiquée :

a. reprendre (nom) ______________________
b. acheter (nom) ______________________

c. distribuer (nom) ____________________
d. louer (adj.) ____________________
e. détenir (nom) ____________________
f. survivre (nom) ____________________
g. débarquer (nom) ____________________
h. consommer (nom) ____________________
i. entreprendre (nom) 1. ____________________
2. ____________________
j. faillir (nom) ____________________
k. expédier (nom) ____________________

VII.

Donnez le terme français pour les mots entre parenthèses. Hier j'ai lu un article dans l'*Actualité* sur (pay TV) ______________ . Depuis son (inauguration) ______________ elle n'a eu que des problèmes de tout ordre. Pour commencer, les (sales) ______________ ont mal décollé. Pourquoi y avait-il si peu de (subscribers) ______________ ? Est-ce que la (programming) ______________ avait quelque chose à y voir? Un (content) ______________ largement canadien avait été une des (demands) ______________ du CRTC. Malheureusement, les bestsellers américains se vendaient (at exorbitant prices) ______________ et les productions canadiennes de qualité se faisaient rares. Jusqu'ici la télévision payante n'a pas encore atteint son (profit threshold) ______________ .

VIII.

Exercices de rédaction

a. Est-ce que la télévision payante offre une réponse aux limites de la télévision traditionnelle?
b. Est-il possible pour la télévision payante d'assurer une programmation culturellement solide (concerts, pièces de théâtre, opéras, etc.) quand ce type de divertissement attire peu de spectateurs?
c. Êtes-vous d'accord avec le principe d'une télévision payante?
d. Quel est votre point de vue sur les exigences d'un contenu canadien? Le *contexte* canadien est-il suffisamment riche (varié) pour satisfaire les téléspectateurs?
e. Est-ce que la communauté a un rôle à jouer dans le choix des programmes à présenter? Quelle est la limite de son contrôle?
f. Imaginez un « programme de la semaine » idéal. Quels spectacles voudriez-vous voir? Quels soirs et à quelle heure préféreriez-vous qu'ils passent? Justifiez votre choix.

Le robot qui me ressemblait

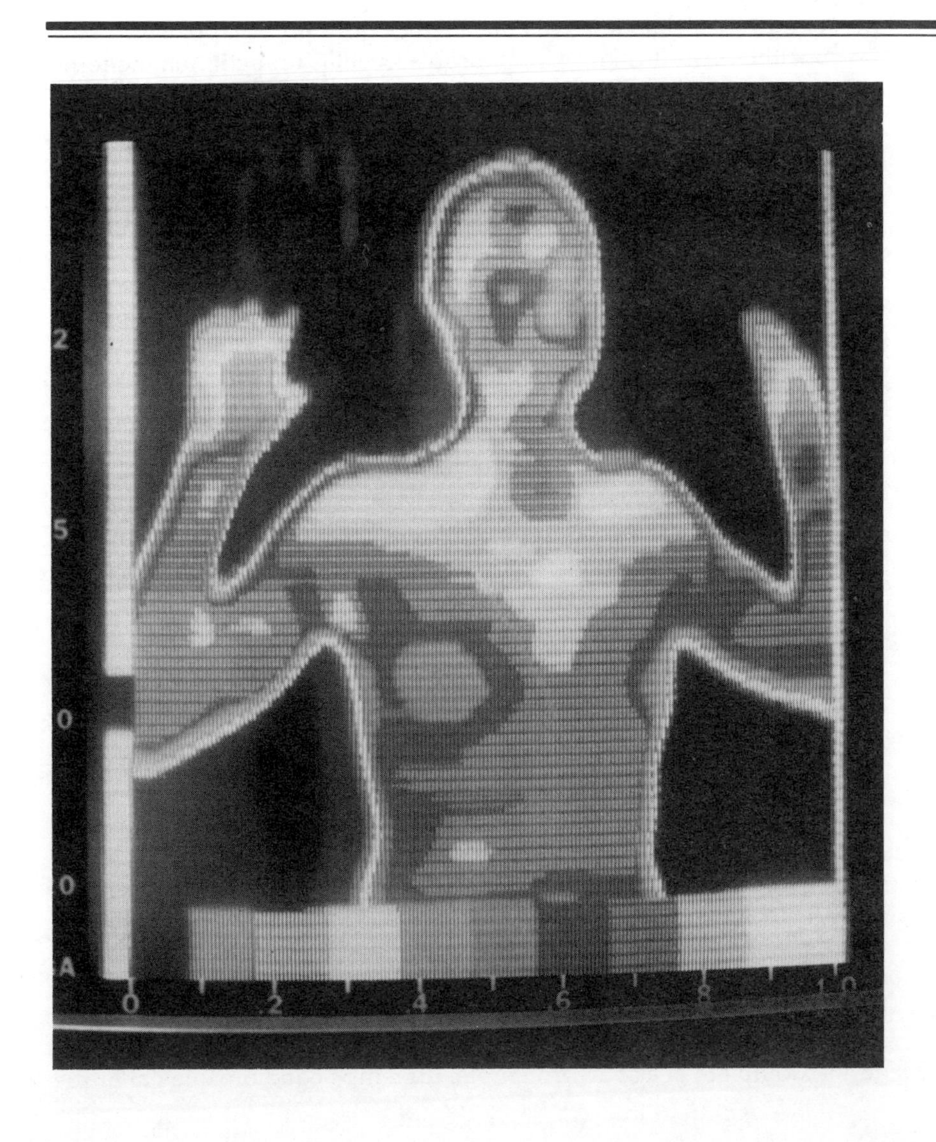

Le Roborama Snaithe est une boutique sans attrait, sise Boulevard KB22 près d'Uhuru Cutoff dans Greater New Newark entre une fabrique d'oxygénateurs et un magasin de protéines. En vitrine, noblesse oblige, des robots : trois humanoïdes au sourire figé, portant l'uniforme de leur profession – Modèle PB2, le chef cuisinier français; Modèle LR3, la gouvernante anglaise; Modèle JX5, le jardinier italien. « Avec eux à votre service c'est le charme du passé qui entre dans votre foyer. »

1

Je traversai le magasin poussiéreux pour me rendre à l'atelier de fabrication, étrange compromis entre un abattoir et l'antre d'un monstre. Des têtes, des bras, des jambes, des bustes empilés sur les rayonnages, entassés dans les coins, tous avec une apparence humaine des plus troublantes... n'étaient les fils métalliques qui s'en échappaient.

2

Snaithe sortit de la réserve pour m'accueillir; un petit homme terne et insignifiant, avec une mâchoire allongée et des mains rougeaudes au bout de ses bras ballants. Sûrement d'origine étrangère, de la race de ceux qui fabriquent les meilleurs robots de contrebande.

3

– C'est prêt, Mr. Watson , m'annonça-t-il.

Je ne m'appelle pas Watson, ni lui Snaithe. Tous les noms ont été changés pour la sécurité des coupables.

4

Snaithe me conduisit vers un coin de la pièce devant un robot dont la tête était enveloppée dans un chiffon sur lequel il tira d'un geste sec.

5

Dire que le robot me ressemblait serait en dessous de la vérité. Physiquement c'était moi, mon double parfait, trait pour trait, jusqu'au grain de peau et à la texture des cheveux. Je le dévisageai d'un oeil critique et notai, comme pour la première fois, la légère agressivité des traits bien dessinés et la lueur d'impatience dans les yeux enfoncés. À ce stade-là je ne procédai pas à un contrôle de la voix et du comportement. Je réglai Snaithe et le priai de faire livrer l'objet à domicile. Jusque-là, tout marchait comme prévu.

6

J'habite dans la Cinquième Verticale Supérieure à Manhattan, un endroit fort coûteux, mais je ne regarde pas à la dépense pour avoir vue sur le ciel. Mon bureau s'y trouve également. Je suis un courtier interplanétaire spécialisé dans la spéculation sur certains minéraux rares.

7

Comme tout citoyen soucieux de garder sa place dans ce monde hautement compétitif et régi par la vitesse, je m'astreins à un emploi du temps très strict. Le travail en occupe l'essentiel, bien entendu, mais tout mes autres activités y trouvent aussi place et heure. Je consacre au sexe trois heures hebdomadaires en utilisant le Planning sexuel pour Cadres conçu par Doris Jens, assez coûteux d'ailleurs. Je consacre également deux heures à mes amis et deux aux loisirs. Je me branche sur l'Inducteur de Sommeil pour assurer mon repos nocturne de 6 heures 8 minutes, et profite de cet état pour absorber par la méthode hypnopédique la littérature relative à ma profession. Et ainsi de suite. Toutes mes activités sont programmées. Il y a quelques années avec l'équipe de Plan de Vie Complet j'ai élaboré un emploi du temps équilibré que j'ai introduit dans mon ordinateur individuel, et auquel je me tiens depuis. Bien entendu, place y est prévue pour d'éventuelles modifications en cas de maladie, de guerre, et de cataclysmes naturels. Il comprend également deux sous-programmes permettant des ajouts : le premier met en place une épouse, et une révision de l'emploi du temps nous accordant quatre heures de copulation hebdomadaires; le second, une épouse et un enfant me donnant droit encore à deux heures supplémentaires par semaine. Grâce à une reprogrammation minutieuse, ces sous-programmes n'entraînent respectivement qu'une perte de ma productivité de 2,3 % et 2,9 %. *8*

J'avais décidé de me marier à 32 ans et 5 mois par l'intermédiaire de l'agence matrimoniale Guarantee Trust, d'excellente réputation. Mais un incident tout à fait imprévu se produisit. *9*

Je passai une de mes heures de loisir au mariage d'un ami. La demoiselle d'honneur de sa fiancée s'appelait Elaine, une jeune personne fine et enjouée, avec des cheveux blonds aux mèches décolorées par le soleil, et une ravissante silhouette, que je trouvai charmante. Puis je rentrai chez moi sans plus y penser... du moins le croyais-je. Mais les jours et les nuits suivants, son image ne cessa de me hanter. J'en perdis l'appétit, ainsi que le sommeil. Mon ordinateur analysa les données et m'annonça que je souffrais peut-être d'une dépression nerveuse, mais que plus probablement j'étais amoureux. *10*

Cette dernière éventualité n'était pas pour me déplaire. Tomber amoureux d'une compagne potentielle peut s'avérer un facteur positif dans l'édification d'une relation. Je fis prendre des renseignements sérieux sur Elaine par l'agence Discrétion Assurée, dont le rapport fut tout à fait satisfaisant. J'engageai alors Mr. Lebonheur, un petit vieux à cheveux blancs et au sourire malicieux, intermédiaire réputé pour la demande en mariage et autres formalités d'usage. Mais il revint avec de mauvaises nouvelles : *11*

– Cette jeune personne est entichée des traditions, et s'attend à une cour en règle, m'apprit-il.

– Ce qui signifie quoi, en langage clair?

– Que vous devez lui vidéophoner pour prendre rendez-vous afin de l'emmener dîner et passer ensuite la soirée dans un lieu de loisir public.

– Mais mon emploi du temps ne me le permet pas ! Enfin... s'il le faut absolument je peux peut-être m'arranger pour caser ça jeudi entre 9 heures et minuit.

– Cela me paraît un excellent début, commenta Lebonheur.

– Un début? Et combien de soirées de ce genre devrai-je donc passer?

Il calcula qu'une cour en bonne et due forme nécessitait qu'on y consacrât au moins trois soirées par semaine, et ce deux mois durant.

– C'est ridicule ! m'écriai-je. Cette jeune fille semble avoir bien du temps à sa disposition !

– Mais non. Elaine a elle aussi une vie très remplie, entièrement programmée, comme n'importe quelle personne de bonne éducation à notre époque. Son temps est partagé entre son travail, sa famille, les bonnes oeuvres, des activités artistiques, politiques, et culturelles.

– Alors pourquoi exige-t-elle cette cour si absorbante?

– Question de principe, apparemment. Bref, elle y tient.

– Aurait-elle une tendance aux caprices?

– Mon cher... c'est une femme. *12*

Je consacrai mon heure de loisir suivante à réfléchir au problème. Il n'y avait que deux solutions : je renonçais à Elaine, ou je me conformais à ses désirs et perdais, ce faisant, environ 17 % de mon revenu en me livrant à des activités que je considérais comme ridicules, ennuyeuses et improductives. Les deux solutions me semblant aussi inacceptables, je me trouvai dans une impasse. *13*

Je me défoulai en jurant, en martelant mon bureau avec violence, renversant ainsi un cendrier de prix. Gordon, un de mes secrétaires-robots, se précipita dans la pièce, alerté par le fracas.

– Quelque chose ne va pas, monsieur? *14*

Gordon est un androïde personnalisé de la série «de luxe à tirage limité» proposée par la Compagnie Sperry, le *douzième vingt-cinq*. Grand, mince, les épaules légèrement voûtées, et un faux air de Leslie Howard. Impossible de deviner qu'il s'agit d'une machine, sans les poinçons au front et aux mains exigés par le gouvernement. En le voyant je fus pris d'une subite inspiration.

– Gordon, savez-vous qui fabrique les meilleurs robots individualisés à exemplaire unique?

– Snaithe, à Greater New Newark, fut la réponse immédiate. *15*

J'eus donc un entretien avec Snaithe qui me parut normalement âpre au gain et accepta de fabriquer un robot à mon image, sans les poinçons officiels, capable de reproduire mes schémas de comportement. La facture fut lourde mais je ne m'en plaignis pas : j'avais les moyens financiers, et non les loisirs. Ce fut ainsi que tout commença. *16*

En rentrant chez moi je trouvai l'androïde livré par pneumo-express. Je l'activai, puis me mis au travail avec l'aide de mon ordinateur qui transmettait les données utiles directement aux circuits mémoire. Après quoi je programmai une «cour en règle» et procédai aux tests nécessaires. Les résultats dépassèrent mes espérances. Exultant, j'appelai Elaine et lui fixai rendez-vous pour le soir même. *17*

Je passai le reste de ma journée à étudier les offres du marché de printemps qui commençaient d'affluer; et à 8 heures j'envoyai Charles II, comme j'avais baptisé mon robot, à son rendez-vous. Puis je fis une petite sieste avant de me remettre au travail... *18*

Robert Sheckley

Le Robot qui me ressemblait

Robert Sheckley

A. Compréhension du texte

Paragraphe 1

1. Quelle est la description que l'auteur donne du Roborama Snaithe?
2. Que signifie «sise»?
3. Où se trouvent les robots, les trois humanoïdes?
4. Quelles professions ces trois humanoïdes représentent-ils?
5. Pourquoi la dernière phrase du paragraphe est-elle mise entre parenthèses?

Paragraphe 2

6. Trouvez les mots du texte dérivés des termes suivants :
   fabriquer
   abattre
   rayon
   poussière

Paragraphe 3

7. Quelles conclusions le narrateur tire-t-il sur Snaithe?

Paragraphes 4, 5

8. Qu'est-ce que Snaithe veut lui montrer?

Paragraphe 6

9. Qui est-ce que ce robot est censé représenter?
10. Faites la liste de tous les termes appartenant au champ sémantique du physique humain.

Paragraphe 7

11. Décrivez le quartier que Watson habite.
12. Quelle est sa profession?

Paragraphe 8

13. Comment explique-t-il sa réussite?
14. Soulignez les phrases qui expliquent comment il passe son temps.
15. Relevez la phrase qui montre que le narrateur ne laisse rien au hasard.
16. Relevez toutes les occurrences de «programme» (ou de ses formes dérivées) dans ce paragraphe.

Paragraphe 9

17. Comment allait-il faire pour se marier?

Paragraphe 10

18. Où avait-il dernièrement passé une de ses heures de loisir?
19. Qui avait-il rencontré à cette soirée?
20. Quels sont les détails qui montrent que le narrateur est amoureux d'Elaine?

Paragraphe 11

21. Est-il content d'être enfin amoureux de quelqu'un?
22. Quelles mesures prend-il?
23. Pourquoi engage-t-il Mr Lebonheur?

Paragraphe 12

24. Qu'est-ce qu'il faut entendre par une «cour en règle»?
25. Est-ce à dire qu'Elaine a beaucoup de temps libre? Pourquoi exige-t-elle une cour en règle?

Paragraphe 13

26. Relevez les adjectifs qui montrent ce que le narrateur pense d'une cour en règle.

Paragraphe 14

27. Expliquez ce que c'est qu'un cendrier *de prix*.

Paragraphe 15

28. Qui est Gordon?
29. Quelle impression Gordon fait-il sur le lecteur?

Paragraphe 16

30. Quelle est la grande différence entre le robot que Snaithe fabrique pour le narrateur et tous les autres qui sont sortis de son atelier?

Paragraphe 17

31. Qu'est-ce que Watson fait avec l'androïde dès qu'il est livré chez lui?
32. Est-il content de son robot? Soulignez la phrase qui répond à cette question.

Paragraphe 18

33. Comment a-t-il baptisé son robot?

B. Analyse structurale

a. *Les aspects parodiques du récit.* Une parodie est une « imitation burlesque (d'une oeuvre sérieuse) ». *(Le Petit Robert)*

Dans « Le robot qui me ressemblait » la parodie existe sur deux plans :

a. parodie d'un roman policier
b. parodie d'une histoire d'amour

Parodie d'un roman policier

1. Quels rapprochements pourrait-on faire entre ce récit et un roman policier?
2. En quoi consiste la parodie dans ce cas?

Parodie d'une histoire d'amour

Les structures narratives suivent de près celles d'un conte populaire dont les principales articulations sont :

i. la constatation d'un manque
ii. le héros part de chez lui
iii. des obstacles se présentent
iv. le héros reçoit de l'aide
v. les obstacles sont surmontés
vi. le héros est récompensé

Nous pourrions illustrer ces structures à partir du *Petit Chaperon Rouge*. La jeune fille, munie d'un panier de provisions, va rendre visite à sa grand-mère malade qui habite à l'autre bout de la forêt (constatation d'un manque, départ de l'héroïne). Elle s'arrête dans la forêt pour cueillir des fleurs et chasser les papillons. Elle parle aussi avec un loup qui cherche à la tromper (les obstacles se présentent). Le loup arrive chez le grand-mère, la mange, met sa chemise de nuit et, couché dans le lit, attend le Petit Chaperon Rouge. Quand la jeune fille arrive, il la mange à son tour. Un bûcheron qui passait à côté de la maison entend les ronflements du loup et vient au secours (l'héroïne reçoit l'aide de quelqu'un). Il fend le ventre du loup, d'où sortent le Petit Chaperon Rouge et sa grand-mère (les obstacles sont surmontés).

Illustrez ces mêmes structures narratives à l'aide d'exemples pris dans « Le robot qui me ressemblait ».

3. L'auteur aime jouer avec les noms et les conventions. Quels en sont les exemples les plus frappants?

C. Étude de langue

I.

Relevez les détails qui servent à situer l'histoire dans un contexte futuriste.

II.

Ce texte offre de nombreux exemples d'un vocabulaire spécialisé. Faites la liste des termes appartenant au champ lexical «science-fiction».

III.

Relisez l'histoire et soulignez tous les détails décrivant l'aspect physique des personnages. Puis, donnez l'équivalent en français des expressions suivantes :

a. a dull person
b. pronounced features
c. deep-set eyes
d. behaviour
e. a good figure
f. blond sun-streaked hair
g. dangling arms
h. rounded shoulders

IV.

Remplacez les tirets par l'expression qui convient, en faisant tous les changements qui s'imposent.

a. demoiselle d'honneur
   bras ballants
   présenter
   introduire
   être amoureux de
   une silhouette
   caser
   à tirage limité
   une cour en règle
   strict

1. Aidez-moi à déplacer ce meuble. Ne restez pas là, bouche bée et les ________________ .
2. J'ai des rendez-vous toute la journée, mais si vous n'êtes pas trop pressé, je pourrais vous ________________ entre 2:30 et 2:45.
3. Il ne reste plus beaucoup d'exemplaires de ce livre. Il a été publié à ________________ .
4. Si vous vous mettez au régime ________________ dans dix jours vous aurez la ________________ svelte d'une vedette de cinéma.
5. Pourriez-vous m'expliquer comment on ________________ cette carte dans la machine?
6. J'ai le grand plaisir de vous ________________ ce soir, le célèbre Monsieur Tournedos.

7. Charles I ________________ d'Elaine, une ________________ qu'il avait rencontrée au mariage d'un ami. Comme il voulait l'épouser, il lui a fait ________________ pendant trois mois.

b.
enfoncés	livrer à domicile
emploi du temps	être âpre au gain
ordinateur	regarder à la dépense
en contrebande	traits
l'Agence	dépasser les espérances de quelqu'un
des mèches décolorées par le soleil	de prix

8. Si vous voulez patienter, je mettrai les données dans un ________________ et vous aurez votre ________________ du premier semestre en quelques instants.
9. Connaissez-vous la fille qui travaille à ________________ BelAir? Elle a les ____________________________ bien dessinés, les yeux ________________ et des cheveux aux ________________ .
10. Comme je n'ai pas pris la voiture, je ne peux pas emporter ce gros paquet avec moi. Pourriez-vous me le ________________ .
11. Cela m'étonnerait beaucoup qu'il mette un tel prix dans une oeuvre d'art. Il ________________ trop ________________ pour faire cela.
12. Souvent les drogues sont passées ________________ par les pêcheurs qui naviguent entre la Floride et l'Amérique du Sud.
13. Les Lévesque sont des gens élégants et cultivés. Chez eux on ne voit que des tableaux originaux et des objets d'art ________________ .
14. Bien qu'il soit déjà employé à plein-temps, il est trop ________________ pour refuser ce petit travail de marché noir.
15. Elle s'attendait à avoir de bons résultats à ses examens, mais quand elle a appris qu'elle était à la tête de sa classe, elle était folle de joie. Cela ________________ .

V.

Mettez les phrases suivantes en anglais. Evitez la traduction littérale. Faites surtout attention à la traduction des constructions souglinées.

1. « Des têtes, des bras, des jambes, des bustes empilés sur les rayonnages, entassés dans les coins, tous avec une apparence des plus troublantes... *n'étaient les fils* métalliques qui s'en échappaient. »
2. « *Dire que* le robot me ressemblait *serait en dessous de la vérité.* »

VI.

Décomposez la phrase suivante et constituez autant de propositions principales que possible.

« Comme tout citoyen soucieux de garder sa place dans ce monde hautement compétitif régi par la vitesse, je m'astreins à un emploi du temps très strict. »

VII.

Pour chacun des termes ci-dessous donnez le dérivé demande :
a. une minute – adjectif ______________
b. perdre – substantif ______________
c. prévoir – adjectif ______________
d. éventuel – substantif ______________
adverbe ______________
e. productif, productive – contraire ______________
f. acceptable – contraire ______________

VIII.

Les quatre termes suivants se traduisent par *window* en anglais :
la fenêtre
la vitrine
le vitrail
la vitre

Inscrivez dans le blanc le terme qui convient :
1. Baissez ______________ de la portière.
2. Nous avons admiré le beau ______________ de la cathédrale.
3. Assise à sa ______________ elle regardait les passants.
4. Nous avons profité d'un saut en ville pour admirer les nouveautés dans les ______________ .

IX.

Exercices de rédaction

1. Quelles sont les sources de l'humour dans « Le Robot qui me ressemblait » ?
2. Rédigez la suite de ce récit en tenant compte des structures narratives.
3. Le récit de science-fiction est un conte de fées pour adultes. Discutez.
4. « On a cent fois écrit qu'il y avait en Sheckley du Mark Twain et du Woody Allen. » Êtes-vous d'accord avec Jean-Michel Royer?
5. À votre avis, quelle est la valeur de la science-fiction?
6. Ce récit soulève la question suivante : un être humain pourrait-il épouser un robot? Examinez tous les aspects de la question.
7. Le mariage est un engagement. Cet engagement peut-il être programmé?
8. Imaginez la vie d'un couple de robots.
9. Faites le portrait d'un individu qui est à la fois attirant et repoussant.

Fiche d'accompagnement – Compréhension orale

Première Partie

I.

«Charles II fut de retour à minuit précis, comme prévu – «Je vous remercie, monsieur», répondit-il, le visage aussi impénétrable que le mien, et sur un ton d'obéissance totale.»

en proie à des sentiments mélanges – to be subject to mixed feelings
dépasser – to exceed
se râcler la gorge – to clear one's throat
le pouce – thumb
l'index – forefinger, index-finger
mon rire niais – my silly laugh
d'autres petites manies agaçantes – other annoying little habits
mes sensations par procuration – by proxy
entêté(e) – stubborn
pour qu'il ne franchît pas une – so that he wouldn't overstep
certaine limite d'intimité physique a certain limit of physical intimacy
pour sauvegarder la ressemblance – to keep up appearances
un psychiatre borné – a short-sighted psychiatrist
une tournure inattendue – an unexpected turn
se teinter – to become tinged with
à la veille – on the eve of
mains enlacées – hands clasped

Questions sur la première partie

1. Pourquoi n'interroge-t-il pas Charles II quand il rentre de son rendez-vous?
2. Quel rêve dit-il avoir pu enfin réaliser?
3. Pourquoi change-t-il légèrement le programm de Charles II?
4. Quand le robot doit-il mettre fin à cette cour en règle?
5. Comment Charles I va-t-il récompenser son robot?

Dictée

Deuxième Partie

«Puis il partit, emportant à Elaine un dernier cadeau» – «Moi aussi j'ai utilisé les services du dénommé Snaithe.»

s'inquiéter – to worry
les minutes s'écoulaient – the minutes slipped away
virer au sadisme – to run to sadism
se laisser berner – to allow oneself to be taken in
sombrer dans un sommeil agité – to sink into a troubled sleep
annuler –to cancel
la désinvolture (entrer avec désinvolture) – ease, to enter unself-consciously
être bouleversé – to be upset
piquer un fard – to blush
endolori – painful, sore, tender
grincer des dents – to grind one's teeth
le coin-repas – the eating area
une gorgée – a gulp
déplu (p.p. du verbe déplaire) – to displease
regarder quelqu'un droit dans les yeux – to look someone straight in the eyes
une dénégation – a denial
un collant – tights
une sueur froide – a cold sweat
franc, franche – frank, open
songeur, songeuse – pensive, thoughtful
faire un aveu – to make a confession
des fiançailles – an engagement
caser – to put stow (sth) away; to find a place for s.o.
à peine (je vous connais à peine) – barley, scarcely

Questions sur la deuxième partie

1. Puis, qu'est-ce qui arrive un soir?
2. Que fait Charles I le lendemain matin?
3. D'après ce que dit Elaine, comment auraient-ils passé la soirée?
4. Comment Charles I comprend-il qu'Elaine ment?
5. Quel aveu Elaine fait-elle?

Troisième Partie

«Charles, ce n'est pas vrai.» – Il est temps de me remettre au travail.»
une copine – (fam.) girl-friend
le toupet – cheek, impudence
faire une fugue – to break out, to go on the loose
se débrouiller – to manage
un baiser – a kiss
avec bonne volonté – with goodwill

la navette – a shuttle
pour attraper l'express – to catch the express
une enquête – an investigation
le rendement – return, profit, yield
d'antan – of yesteryear
s'octroyer – to treat oneself to
peu nous chaut (v. chaloir) – it does not matter to us
un cauchemar (faire un cauchemar) – to have a nightmare
acceuillant (v. accueillir) – welcoming

Questions sur la troisième partie

1. Où est le robot d'Elaine?
2. Comment les deux robots on-tils pu s'enfuir?
3. Que vont devenir Charles I et Elaine I?
4. Quelle leçon Charles et Elaine ont-ils apprise?

Résumez oralement les trois parties de l'enregistrement que vous venez d'entendre.

Glossaire

Pour éclairer les concepts clés utilisés dans le texte, nous avons réuni quelques définitions qui voudraient marquer les acceptations usuelles des termes employés.

Actes de parole – Ils témoignent de l'intention de communiquer de la part du scripteur ou du locuteur. À travers les actes de parole, un scripteur cherche à agir sur son lecteur. Il peut chercher à le persuader, à le convaincre, à lui interdire quelque chose. Un même acte de parole peut avoir plusieurs formulations linguistiques. Par exemple, si on cherche à persuader/influencer, on aura recours aux expressions suivantes : «écoute-moi... tu verras;» «tu n'a pas à hésiter;» «tu as intérêt à...»

Analyse sociolinguistique – Dans l'analyse sociolinguistique, on s'interroge sur les conditions de production et de réception d'un message. «À qui le texte s'adresse-t-il», «De quel type d'écrit s'agit-il (le statut social du message)» sont parmi les questions auxquelles on cherche à répondre.

Articulateur rhétorique – On appelle articulateurs rhétoriques tous les mots, locutions et expressions (par exemple, «d'abord», «ensuite», «enfin», etc.) qui permettent de voir la progression et le développement du texte.

Fonction – En général, un scripteur rédige un texte en vue d'un but précis. Le message (écrit ou oral) porte en lui les marques de cette intention. Quand on écrit pour transmettre des informations, on a affaire à *la fonction référencielle.* C'est le cas des articles de journaux, des informations à la télévision. Si celui qui s'exprime veut surtout faire connaître son point de vue ou ses sentiments, c'est *la fonction expressive* qui va prédominer dans son texte («je», «à mon avis», etc.). Par contre, *la fonction conative* (ou d'incitation) est centrée sur la personne à qui on s'adresse (le destinataire). Tout ce qui dans un message met l'accent sur le récepteur (le lecteur) va relever de la fonction conative (par exemple, «vous», «sortez», «écoutez-moi», etc.). Parfois, comme, par exemple, dans un dialogue, le destinateur essaie de maintenir le contact avec le destinataire. Le message sera parsemé de formules comme «allô», «oui, continuez», *(la fonction phatique)*.

Le dictionnaire est un livre à *fonction métalinguistique,* c'est-à-dire, sa fonction principale consiste à fournir des explications, à donner des

précisions. Une analyse littéraire s'appuie sur *la fonction poétique* du texte. La structure, la tonalité, le rythme, etc. sont parmi les éléments qui relèvent de la fonction poétique.
La fonction référentielle, la fonction expressive, la fonction conative, la fonction phatique, la fonction métalinguistique et la fonction poétique sont les six fonctions du langage que Roman Jakobson distingue dans le processus de communication.

Image (ou architecture) du texte – C'est la «forme» du document ou sa fonction iconique. Certains textes présentent toujours la même organisation. Par exemple, un prospectus pharmaceutique aura généralement des sous-rubriques comme : indications, contre-indications, posologie, etc. Dans un article de presse, ce sont souvent les articulateurs rhétoriques qui mettent en valeur les «réseaux» du texte.

Modalités – Sophie Moirand *(Situations d'écrit)* parle de trois types de modalités :

les modalités appréciatives – «Tout scripteur peut porter un jugement, donner son opinion, exprimer son appréciation, etc. par rapport à ce qu'il écrit ou à ce (eux) qu'il cite, par l'intermédiaire de différents types de verbes, d'adjectifs, de substantifs, d'adverbes, voire de moyens typographiques.» (p. 14)

les modalités logiques – «Tout scripteur peut situer son enoncé sur les axes allant du certain au non-certain, du probable au non-probable, du nécessaire au non-nécessaire, de l'éventuel au non-éventuel, par l'intermédiaire d'autres expressions verbales ou adverbiales et d'effets typographiques.» (p. 14)

les modalités pragmatiques – «Si le lecteur veut savoir ce que dit de faire le scripteur, c'est le repérage des modalités pragmatiques.» (p. 64)

Mot-clé – C'est le mot le plus important pour comprendre le sens de la phrase ou du paragraphe.

Repère diaphorique – C'est l'élément qui désigne la référence contextuelle (par exemple, les pronoms personnels (il, elle), les possessifs (son, sa, etc.), les démonstratifs (ce, cette, ces).

Structures narratives – Ce sont les différentes étapes de l'action d'une narration (roman, conte, récit, pièce de théâtre) et la relation de celles-ci les unes avec les autres.

Vocabulaire

abattoir (s.m.) – slaughter-house
aborder (v.) – to accost, to approach
accablé (adj.) – crushed, overpowered
accidenté (adj.) – uneven, broken (ground)
accrocher (v.) – to hook, to catch
acéré (adj.) – sharp, keen, cutting
à-coups (s.m., pl.) – jolts; *travailler par à-coups* to work by fits and starts
acquitter (v.) – to release s.o. (from an obligation) *acquitter un accusé* to discharge an accused person
affaire (s.f.) – *une bonne affaire* a good deal
s'affairer (v.) – to keep busy
affamé (adj.) – famished; *avoir l'air affamé* to look famished
ahurissant,e (adj.) – bewildering
alimentation (s.f.) – food, nourishment
allumer (v.) – to light, to light up
amasser (v.) – to pile up, to accumulate
ambages (s.f., pl.) – *sans ambages* without beating around the bush
s'améliorer (v.) – to improve
amorcer (v.) – to begin, to start; to allure, to entice (animal, person)
anomalie (s.f.) – anomaly, abnormality
antre (s.m.) – cave, cavern
appareil (s.m.) – apparatus, machine, instrument
s'apprêter (v.) – to prepare, to get ready
appuyé (adj.) – insistant, sustained; *un regard appuyé* an insistant look
arrêt d'autobus (s.m.) – bus-stop
assaillant (s.m.) – assailant
assaillir (v.) – to attack, to assault, to assail
assommer (v.) – to knock out; (fig.) to bore to death
assourdir (v.) – to make (s.o.) deaf; to deafen; to muffle (drum bell); to soften, subdue, tone down (light, colour)
astiquer (v.) – to polish, to rub
s'astreindre (v.) – to compel, to oblige oneself to do sth.
atteindre (v.) – to reach, to attain
s'attendrir (v.) – to be moved
attiser (v.) – to stir up
attrait (s.m.) – attractiveness, charm; *sans attrait* without charm
avenant (adj.) – comely, pleasing
avérer (v.) – to aver (fact); *la science s'avère impuissante à répondre* science avers her ability to answer
avis (s.m.) – opinion, notice, warning
avortement (s.m.) – abortion
axé – *axé sur* to be centred around something

ballant (adj.) – swinging, dangling
bandoulière (s.f.) – shoulder strap
bannir (v.) – to banish, to expel
barrage (s.m.) – dam, barrage
barre (s.f.) – rod, bar; *tenir la barre* to be at the helm
bas-fond (s.m.) – *les bas-fonds de la société* the dregs of society
baudruche (s.f.) – windbag (persons)
bavure (s.f.) – smear, smudge; (fig.) flaw
bedaine (s.f.) – paunch
belliqueux,euse (adj.) – warlike, aggressive
berline (s.f.) – limousine
bien-être (s.m.) – well-being
bienveillant (adj.) – kindly
blessure (s.f.) – wound, hurt, injury
se blottir (v.) – to curl up, to snuggle up
boîter (v.) – to limp
bonnement (adv.) – *tout bonnement* quite simply
boucle (s.f.) – buckle; curl, ringlet, lock of hair
bouclier (s.m.) – shield
bouder (v.) – to sulk
boudin (s.m.) – *boudin noir* black pudding
bouffer (v.) – to eat, to gobble up
bouger (v.) – to move
bougie (s.f.) – candle
bouleversé (adj.) – upset
boulimique (adj.) – bulimic, compulsive eater
boulot,otte (adj.) – fat, dumpy, chubby

boutade (s.f.) – whim
bouton (s.m.) – button; pimple, blemish
brailler (v.) – to yell
se brancher (v.) – to plug in (connection)
brandir (v.) – to wave, to brandish, to flourish
branle (s.m.) – oscillation, swing (motion) *mettre qch. en branle* to set something going, in action
briqet (s.m.) – cigarette-lighter
brochet (s.m.) – pike
brume (s.f.) – mist, fog
bûche (s.f.) – fire-log
buisson (s.m.) – bush
buté (adj.) – obstinate

cachet (s.m.) – tablet; seal; *avoir du cachet* to have style, character
se caler (v.) – to settle comfortably into (armchair)
câlin,e (adj.) – cuddly, cuddlesome
calquer (v.) – to copy exactly; *calqué sur* modeled after
canif (s.m.) – penknife
cannette (s.f.) – can; *cannette de bière* can of beer
carillonner (v.) – to chime, to ring out
caser (v.) – to put, stow (sth.) away; *caser qn.* to find a place, employment for s.o.
cascadeur (s.m.) – reveller, stunt-man
cauchemar (s.m.) – nightmare
censure (s.f.) – censorship
chagrin (s.m.) – grief, sorrow, affliction
chagriner (v.) – to grieve, to distress
chambarder (v.) – to turn upside down
chatouiller (v.) – to tickle
chaudron (s.m.) – cauldron
chaussée (s.f.) – pavement
chauvin (adj.) – chauvinistic
chercheur (s.m.) – researcher
chiffon (s.m.) – rag
chiffre (s.m.) – figure, statistic
chimérique (adj.) – visionary
choc (s.m.) – impact, shock
choeur (s.m.) – chorus, choir; *des enfants de choeur* altar boys
chute (s.f.) – loss, fall
cible (s.f.) – target
clair-obscur (s.m.) – semi-darkness
clivage (s.m.) – cleavage
chômeur,-euse (s.m. ou f.) – unemployed person
clamer (v.) – to shout out, proclaim
coffre (s.m.) – trunk (of a car)
coiffé de (adj.) – wearing
collant (s.m.) – tights, leotard
comble (s.m.) – heaping measure; heaped measure; *être au comble du bonheur* to be at the height of happiness
combler (v.) – to fill
commanditaire (s.m.) – silent partner
commissariat de police (s.m.) – police station
commissure (s.f.) – corner
se complaire (v.) – *en, dans qch., à faire qch* to take pleasure in something, in doing something
comportement (s.m.) – behaviour
compte-gouttes (s.m.) – dropper; *mesurer qch. au compte-gouttes* to dole sth. out in driblets
conciliabule (s.m.) – secret meeting
conclave (s.m.) – conclave (for the election of the pope)
conjoncture (s.f.) – circumstances
conspuer (v.) – to boo, to shout down
constater (v.) – to establish, to ascertain (fact)
consterner (v.) – to dismay
contourner (v.) – to bypass
contrainte (s.f.) – constraint
contrarier (v.) – to thwart, oppose, cross
contravention (s.f.) – minor offence; contravention
contrebande (s.f.) – contraband, smuggling; *faire entrer des marchandises en contrebande* to smuggle in goods
controverse (s.f.) – controversy
convenable (adj.) – suitable
copain (s.m.) – friend
coriace (adj.) – tough
corsé (adj.) – full-bodied (wine); strong, vigorous (attack) *histoire corsée* broad story
côte (s.f.) – rib
couchant (s.m.) – sunset; *soleil couchant* setting sun
coude (s.m.) – elbow
couler (v.) – to run, to flow (river)
coupable (adj.) – guilty
courant (adj.) – current; running
courtier (s.m.) – broker
cossu (adj.) – rich, wealthy
cracher (v.) – to spit, to spit forth
craindre (v.) – to fear
craquer (v.) – to crack; to crack up

crèche (s.f.) – crib, manger
creux,euse (adj.) – hollow
crise (s.f.) – *crise cardiaque* heart attack
crispé (adj.) – on edge, jumpy
croc (s.m.) – hook; canine teeth
crochet (s.m.) – hook
croiser (v.) – to run across, to cross, to fold
croissance (s.f.) – growth
crotté (adj.) – dirty, mud-bespattered
cul-de-sac (s.m.) – dead-end
cygne (s.m.) – swan

déambuler (v.) – to wander aimlessly
débarquement (s.m.) – landing, unloading
débarquer (v.) – to unload, to discharge (cargo)
se débarrasser (v.) – to get rid of
débilité (s.f.) – weakness; *la débilité mentale* mental deficiency
déblatérer (v.) – *déblatérer* to talk nonsense *déblatérer contre qn* to run s.o. down
déborder (v.) – to overflow
décès (s.m.) – death
se déchirer (v.) – to tear
déclencher (v.) – to set off
décodeur (s.m.) – decoder
décoller (v.) – to take off (plane)
déconner (v.) – to talk cock
décontenancer (v.) – to disconcert (to be abashed, to be mortified)
défaillance (s.f.) – blackout; a feeling of weakness; failure or breakdown
défaut (s.m.) – fault, shortcoming
déglingué (adj.) – falling apart (to pieces)
dégoûté (adj.) – disgusted
dégringolade (s.f.) – tumble
dégueulasse (adj.) – lousy; rotten; filthy
démarche (s.f.) – step, gait, walk
déménagement (s.m.) – move
démentiel (adj.) – mad
démentir (v.) – to contradict, to deny (fact); *il a démenti nos espérances* he has disappointed us
démunir (v.) – to clear (shopkeeper, etc.) out of stock; *démuni* (adj.) unprovided (de, with); *être démuni de qch.* to be out of sth.
démusurément (adv.) – inordinately
denrée (s.f.) – commodity
dépasser (v.) – to pass beyond (s.o., sth.) *dépasser qn. à la course* to overtake
dépit (s.m.) – chagrin, resentment; *par dépit* out of spite; *en dépit de* in spite of
déplier (v.) – to unfold
dépourvu (de) (adj.) – lacking
déposer (v.) – to put down, to lay down, to set down
déprime (s.f.) – depression
dérèglement (s.m.) – upset; disturbance
se dérouler (v.) – to happen, to take place, to occur
déroutant (adj.) – disconcerting
désagrément (s.m.) – unpleasantness
dessein (s.m.) – intention
destinée (s.f.) – destiny
désuétude (s.f.) – disuse *tomber en désuétude* to become obsolete
détaillant (s.m.) – retailer
détailler (v.) – to divide up, to cut up, to itemize
détenteur,trice (s.m. ou f.) – (secret) keeper, possessor
deuil (s.m.) – mourning
déviation (s.f.) – diversion, detour (of a road)
déviser (v.) – to discuss, to converse
disette (s.f.) – scarcity, want, lack, shortage
disponible (adj.) – available
dispositif (s.m.) – apparatus, device
domicile (s.m.) – residence, dwelling place; *livrer à domicile* to make home deliveries
dorénavant (adv.) – henceforth
dorloter (v.) – to coddle, to pamper
doté (adj.) – *doté de* endowed with
douillet,ette (adj.) – cosy
se douter (de qq chose) (v.) – to suspect
duvet (s.m.) – down, fluff

éblouissement (s.m.) – dazzling sight; dizziness
échantillon (s.m.) – s
échéance (s.f.) – expiry date; *a brève échéance* short term
s'échelonner (v.) – to spread out
échoppe (s.f.) – stall, booth (market); workshop
s'échouer (v.) – to run aground (ship)
écran (s.m.) – screen
écrasé (adj.) – crushed
effleurer (v.) – to touch or stroke gently
effondré (adj.) – crushed
embaucher (v.) – to hire (for a job)
embrocher (v.) – to spit, to put (piece of meat) on a spit
s'embusquer (v.) – to lie in ambush
s'emparer de (v.) – to take possession of; to seize

empâté (adj.) – gross, fleshy, bloated
empêcher (v.) – to prevent
s'empiffrer (v.) – to gorge, guzzle; to grow fat
emplir (v.) – to fill up, to fill
empoisonner (v.) – to poison
empreinte (s.f.) – imprint, impression
empressement (s.m.) – eagerness, readiness, hurry
enchantement (s.m.) – enchantment, magic; *comme par enchantement* as if by magic
enchère (s.f.) – bid
enclencher (v.) – to set in motion, to get under way
endetté (adj.) – having debts
enfoncé (adj.) – sunken, deep *les yeux enfoncés* deep-set eyes
engendrer (v.) – to engender, to generate
engloutir (v.) – to swallow, to gulp (sth.) down
engrenage (s.m.) – gears; *être pris dans l'engrenage* to be caught up in the system
engueuler (v.) – to abuse, slang, jaw (s.o.)
s'enivrer (v.) – to become intoxicated
enjoué (adj.) – playful, lively
entamer (v.) – to cut into (loaf); to open (bottle); to begin (conversation)
entassé (adj.) – piled up; (of persons) crowded, huddled together
entériner (v.) – to ratify, confirm
entiché (adj.) – infatuated (*de qn.*- with s.o.) *entiché de sport* keen on sport
entonner (v.) – to intone (psalm); to begin to sing (a song); to strike up, break into (song)
entracte (s.m.) – intermission
entraînement (s.m.) – training
entrepôt (s.m.) – warehouse
entreprendre (v.) – to undertake
envahir (v.) – to invade
s'épanouir (v.) – to bloom, to come out, to open out
épargner (v.) – to spare
épingle (s.f.) – pin
épier (v.) – to spy upon
épouvantable (adj.) – dreadful, frightful
épris (adj.) – in love
éprouver (v.) – to feel, to experience
éprouvette (s.f.) – test-tube
épuisant (adj.) – tiring, fatiguing
épuisé (adj.) – exhausted
escompter (v.) – to discount (bill); *avantages escomptés* anticipated advantages
escrime (s.f.) – fencing
essor (s.m.) – flight, rapid expansion
étourdissement (s.m.) – dizziness
étriper (v.) – to disembowel
s'évanouir (v.) – to faint
éventail (s.m.) – fan; (fig.) range
éventrer (v.) – to disembowel; to split open (sack)
éventualité (s.f.) – possibility, eventuality; *parer à toute éventualité* to provide for all emergencies
exemplaire (s.m.) – copy
exhortation (s.f.) – exhortation, urge, encouragement
exigeant,e (adj.) – demanding
exigence (s.f.) – need
exiger (v.) – to exact, demand, require (*de*- from); to insist upon
expédient,e (s.m.) – expedient, makeshift

facture (s.f.) – invoice, bill
faille (s.f.) – fault; *sans failles* without faults or weaknesses
faillite (s.f.) – failure, bankruptcy, insolvency
fange (s.f.) – mud, filth, muck
faribole (s.f.) – piece of nonsense
se faulfiler (v.) – to dodge in and out
feuilleter (v.) – to leaf through
feuilleton (s.m.) – series (TV), serial
ficelle (s.f.) – string
fièreté (s.f.) – pride
figé (adj.) – set (of features); *sourire figé* set smile
figer (v.) – to coagulate
flagrant,e (adj.) – flagrant, glaring; *pris en flagrant délit* caught red-handed
flairer (v.) – to smell, to sniff
flancher (v.) – to flinch; to give in
flatter (v.) – to flatter
fléchir (v.) – to bend
folie (s.f.) – madness
forcené (adj.) – frantic, mad; frenzied
fossette (s.f.) – small cavity; dimple
fouiner (v.) – to nose about
foyer (s.m.) – fireplace; home
fracas (s.m.) – din, (sound of a) crash
franchement (adv.) – frankly
freinage (s.m.) – breaking, break system
frisé (adj.) – frizzy
frôler (v.) – to touch lightly, to brush, rub

fructueux,-euse (adj.) – fruitful, profitable

gâcher (v.) – to spoil
gâchis (s.m.) – mud or slush; (fam.) *quel gachis* what a mess
gavage (s.m.) – force-feeding
gendarme (s.m.) – policeman
génie (s.m.) – genius
gestion (s.f.) – management
glaner (v.) – to glean
glouton,enne (adj.) – greedy, gluttonous
gommer (v.) – to erase, to rub out
gorger (v.) – to fill up with (de)
gourmandise (s.f.) – greediness, gluttony
gouvernail (s.m.) – rudder, helm
grain (s.m.) – grain, texture (of substance)
greffe (s.f.) – transplant
grève (s.f.) – strike
grimper (v.) – to climb
grisaille (s.f.) – dullness, colourlessness, greyness
grivois (adj.) – licentious, loose, broad
grossesse (s.f.) – pregnancy
grossir (v.) – to put on weight
gruger (v.) – to dupe
guetteur (s.m.) – watchman, watcher

habitué,e (adj.) (s.m. ou f.) – habitual visitor
hâcher (v.) – to chop up, to hash (meat, etc.)
hangar (s.m.) – warehouse, shed
harcèlement (s.m.) – harrassing
harnais (s.m.) – harness
hayon (s.m.) – back door of a commercial vehicle, (aut.) hatch
heurter (v.) – to collide with, to knock together
houleux,euse (adj.) – swelling, surging, angry (sea); rather rough (sea)
houpette (s.f.) – powder-puff
huées (s.f., pl.) – boos, hoots

immobilier – *agence immobilière* real-estate agency
implacable (adj.) – unpardoning
impôts (s.m., pl.) – taxes
incriminer (v.) – incriminate
s'incruster (v.) – to become embedded in, (fam.) to dig oneself in
infamant (adj.) – dishonourable
injurier (v.) – to insult, to call names
installer (v.) – to install
insurmontable (adj.) – insurmountable
intervenir (v.) – to intervene
inventaire (s.m.) – inventory, stocklist
invétéré (adj.) – deeply-rooted
irascible (adj.) – short or quick tempered

jaillir (v.) – to spurt out, gush forth
jurer (v.) – to swear

laqué (adj.) – lacquered
lavement (s.m.) – washing, enema
lécher (v.) – to lick
licencier (v.) – to fire (from a job)
licentieux,ieuse (adj.) – licentious
ligature (s.f.) – ligature, tying up
lignée (s.f.) – issue (line of descendants)
livrer (v.) – to deliver; to give s.o. sth.
loisir (s.m.) – leisure; *avoir du loisir, des loisirs* to have spare time
lot (s.m.) – price, share, fate
lustre (s.m.) – (ornamented) chandelier; *servir de lustre* (au talent de qn., etc.) to set off (s.o.'s talent, etc.)
lutin,e (adj.) – impish, mischievous
lutte (s.f.) – struggle

mâchoire (s.f.) – jaw (of person, animal)
magnétoscope (s.m.) – video-tape recorder
mainmise (s.f.) – seizure of
malaise (s.m.) – feeling of sickness or weakness
mamelon (s.m.) – nipple
manchette (s.f.) – headline
mandat (s.m.) – mandate
manifestation (s.f.) – demonstration
manutention (s.f.) – handling
marc (s.m.) – marc; *marc de café* coffee grounds or dregs
maquillé (adj.) – made-up (make-up)
marche (s.f.) – step, stair
marteler (v.) – to hammer; to mark, blaze (trees)
maudire (v.) – to curse
mèche (s.f.) – wick (of candle, lamp, etc.); lock (of hair)
médicament (s.m.) – medicine
se méfier de (v.) – to mistrust
mélopée (s.f.) – monotonous chant
s'y méprendre (v.) – *ils se ressemblent à s'y méprendre* – they look so alike that you can't tell them apart
mépriser (v.) – to scorn
mi-figue, mi-raisin (adv.) – mixed, neither one nor the other
minceur (s.f.) – thinness, slenderness

mitan (s.m.) – middle, centre
mite (s.f.) – clothes moth
moelle (s.f.) – marrow; *moelle osseuse* bone marrow
moquette (s.f.) – wall-to-wall carpeting
montgolfière (s.f.) – hot-air balloon
moutonnier (adj.) – pertaining to sheep, ovine, sheeplike

naguère (adv.) – not long ago, formerly
natalité (s.f.) – birth rate
navet (s.m.) – turnip; (fam.) bad film, novel, work of art
négligeable (adj.) – negligible
niaiserie (s.f.) – silliness
nivellement (s.m.) – levelling
noblesse (s.f.) – nobility; *noblesse oblige* the nobly born must nobly do
se nouer (v.) – to tie, to knot; *avoir la gorge nouée* to have a lump in one's throat
nuée (s.f.) – cloud
nuire (v.) – to harm

obstrué (adj.) – blocked
officieux,ieuse (adj.) – unofficial
omniscient (adj.) – omniscient
omoplate (s.f.) – shoulder-blade
onduler (v.) – to wave (motion)
ordinateur (s.m.) – computer
ordures (s.f., pl.) – garbage, refuse
outrancier,ière (adj.) – extremist
outre, *en outre* (adv.) – besides

palier (s.m.) – landing (building)
parité (s.f.) – parity
partager (v.) – to share
partie (s.f.) – game, match, contest
patibulaire (adj.) – sinister; *à mine patibulaire* sinister looking
patiner (v.) – to skate; *faire du patin à roulettes* – to roller-skate
pâtisserie (s.f.) – pastry
patte (s.f.) – leg; *se mettre à quatre pattes* – to get down on all fours
se payer quelque chose (v.) – to offer oneself sth.
péage (s.m.) – toll
peine (s.f.) – pain; *peine de coeur* heart-ache
se faire pendant (s.m.) – to match, to be counterparts
pénible (adj.) – painful, laborious; distressing
percher (v.) – to perch
pieu (s.m.) – fam. bed; post, stake
piquer (v.) – to sting
plage (s.f.) – beach
se plaindre (v.) – to complain
plat,e (adj.) – flat
plonger (v.) – to plunge, to dive, to immerse
pneumatique (adj. et s.m.) – pneumatic tire
poids (s.m.) – weight; *prendre du poids, perdre du poids* to gain, to lose weight
poignée (s.f.) – a handful
poinçon (s.m.) – (engraver's) point; stamped mark
pondéral (adj.) – ponderal
pondérer (v.) – to weigh, to balance
portatif,ive (adj.) – portable
posture (s.f.) – posture, position
poubelle (s.f.) – garbage-can
poudrier (s.m.) – powder-case
poumon (s.m.) – lung
poussiéreux,ieuse (adj.) – dusty
préalable (adj.) – preliminary; *au préalable* first, beforehand
prélèvement (s.m.) – drawing out, withdrawal; *faire un prélèvement de sang* to take a blood sample
prévenant,e (adj.) – obliging, kind; attentive, considerate
privation (s.f.) – privation, deprivation
se priver (v.) – to deprive oneself of
prix (s.m.) – price; prize
prunelle (s.f.) – pupil, apple (eye)
psychiatrie (s.f.) – psychiatry
pull (s.m.) – pull-over (sweater)

raffiné (adj.) – refined
rafraîchir (v.) – to cool, to refresh, to air (room); to touch up
se raidir (v.) – to stiffen (up)
ralentissment (s.m.) – slowing down
ramasser (v.) – to pick up
rangement (s.m.) – stowing away, arrangement
raser (v.) – to shave; to scrape
rayonnage (s.m.) – shelving; (set of) shelves
raz-de-marée (s.m.) – tidal wave
rebondi (adj.) – rounded, plump
rechigner (v.) – to balk
récif (s.m.) – reef
réclamer (v.) – to demand
recueillir (v.) – to gather, collect
récurer (v.) – to scour
redouter (v.) – to fear

régime (s.m.) – diet
régir (v.) – to govern, rule; to direct (undertaking)
règles (s.f., pl.) – rules, also period, menses
relâchement (s.m.) – relaxing, slackening
réléguer (v.) – to relegate
remâcher (v.) – to ruminate
renflouer (v.) – to refloat (boat); (fig.) to bail out (entreprise), to set back on its feet
renom (s.m.) – fame
rentabilité (s.f.) – profitability
repasser (v.) – to iron
repoussoir (s.m.) – (fig.) foil; *servir de repoussoir à qn.* to act as a foil
réprouver (v.) – to disapprove of (s.o., s.th.); to reject (doctrine)
rescousse (s.f.) – rescue, aid; *venir à la rescousse* to come to s.o.'s rescue or aid
retentir (v.) – to resound, echo, ring
retors (adj.) – sly, underhand
retouche (s.f.) – slight alteration
revanche (s.f.) – revenge
réveillon (s.m.) – midnight supper (especially after midnight mass on Christmas Eve, and on New Year's Eve)
revendication (s.f.) – claim, demand
revendiquer (v.) – to claim, to demand
revers (s.m.) – back, reverse, wrong side; *son revers au tennis* back-hand
ridé (adj.) – wrinkled
rideau (s.m.) – curtain
rôtisserie (s.f.) – shop selling roast meat
rougeoyer (v.) – to turn red
routier (adj. et s.m.) – *gare routière* bus, coach station (s.m.) – heavy transport driver

se ruer (v.) – *se ruer sur qn.* to throw, fling oneself at s.o.
sanglot (s.m.) – sob
santé (s.f.) – health
saupoudrage (s.m.) – sprinkling
sauterelle (s.f.) – grasshopper
sautiller (v.) – to skip, jump about; (fam.) to jump from one thing to another (in conversation)
sécateur (s.m.) – pruning scissors, shears
se secouer (v.) – to shake oneself
sensible (adj.) – sensitive
sensiblement (adv.) – perceptively
seriner (v.) – *seriner qn., seriner qch. à qn.* to teach s.o. sth. (by constant repetition, to drum sth. into s.o.)
serrer (v.) – to press, to tighten, to squeeze
seuil (s.m.) – threshold
séir (v.) – to rage, hold sway, to be rampant
sceau (s.m.) – a seal, a stamp
siège (s.m.) – seat (of learning), bottom (of a chair)
sillage (s.m.) – trail; *dans le sillage de qn.* in someone's wake
singer (v.) – to mimic
sinueux,euse (adj.) – winding, sinuous
soigner (v.) – to take care of
sombre (adj.) – dark, gloomy, dim
sommairement (adv.) – in summary, in brief
sorcier (s.m.) – sorcerer
sort (s.m.) – fate, destiny, lot
sosie (s.m.) – double (person)
soucieux,ieuse (adj.) – anxious, concerned
souscrire (v.) – to subscribe to
soutenu (adj.) – sustained
squelette (s.m.) – skeleton
starlette (s.f.) – starlet
stroboscope (s.m.) – stroboscope
supprimer (v.) – to suppress
surmonter (v.) – to overcome
surveiller (v.) – to supervise, to oversee, to watch over
survolté (adj.) – worked up

tabac (s.m.) – tobacco; *du même tabac* something like that
taille (s.f.) – size, height
taillis (s.m.) – copse
talon (s.m.) – heel (shoe)
tapage (s.m.) – uproar, din
tare (s.f.) – defect, blemish
taux (s.m.) – rate
teint (s.m.) – complexion
tenace (adj.) – tenacious
terne (adj.) – dull, lustreless, tarnished
Tiers-Monde (s.m.) – Third World
tirage (s.m.) – printing; *édition à tirage limité* limited edition
s'en tirer (v.) – to manage, to cope
tonique (adj.) – invigorating
tourbillon (s.m.) – whirlwind
tournoyer (v.) – to swirl, to whirl around
trait (s.m.) – feature (of face)
traiteur (s.m.) – caterer
transiger (v.) – to compromise
tréfonds (s.m.) – the innermost depths
trempé (adj.) – soaked, dipped in
tri (s.m.) – sorting out, classifying; *faire le tri* to sort out

tribunal (s.m.) – court of justice, tribunal
tricot (s.m.) – knitting
trinquer (v.) – to clink glasses; *trinquer avec qn.* to take wine with someone
trompe (s.f.) – tube; *trompe de Fallope* Fallopian tube
troquer (v.) – to trade
trouble (s.m.) – trouble, agitation, disorder
tutti quanti (s.m., pl.) – all the rest of them

vitrine (s.f.) – shop-window
verset (s.m.) – verse
voile (s.m.) – veil
voire (adv.) – indeed
vouer (v.) – to vow, to deicate, consecrate
voûté (adj.) – stooping, bent; vaulted; *les épaules voûtées* – round-shouldered
voyance (s.f.) – clairvoyance

usage (s.m.) – use, custom; *les formalités d'usage* customary formalities
usé (adj.) – worn, worn-out
usure (s.f.) – wear and tear

vadrouiller (v.) – to rove around
vanne (s.f.) – gate, floodgate
vaquer (v.) – to attend; *vaquer à ses activités* to go about one's activities
vernissage (s.m.) – private view (of an exhibition)
verrière (s.f.) – window
viabilité (s.f.) – practicability (of road); viability (of a newborn child); *mettre une route en état de viabilité* to make a road suitable for traffic
viol (s.m.) – rape
virer (v.) – to turn, to change; *se faire virer* to be kicked out of one's job
visé (adj.) – chèque visé – a stamped cheque
visées (s.f. pl.) – aims, designs, ambitions

Sources

Nous tenons à remercier les auteurs et les éditeurs suivants qui nous ont si aimablement autorisés à reproduire (adapter) leur texte :

Charles Baudelaire : «Elévation», *Les Fleurs du Mal,* Édition de la Pléiade, Gallimard, Paris.

Georges-Hébert Germain : «Broue», *L'Actualité,* Montréal, février, 1984.

Gilles Guérithault : «Vive l'auto», extrait du livre *Vivre l'auto,* Éditions Grasset, Paris.

Pierre Racine : «La gestion du désir», *L'Actualité,* Montréal, octobre 1984.

Yvon Deschamps : «Entre deux bières», *L'Actualité,* Montréal, décembre 1978.

Margaret Atwood : «Pornocratie», *L'Actualité,* Montréal, décembre 1983.

Lysiane Gagnon : «Vivre avec les Hommes», extrait du livre *Vivre avec les Hommes,* Éditions Québec-Amérique, Montréal.

Eva Partout : «Femmes», Marco Paulo : «Voyages» – «Crocniques», CROC, Montréal, juillet 1984.

Catherine Rihoît : «Je n'ai jamais compris qui était Karl Marx», *Le Monde Dimanche,* Paris, le 11 mai 1980.

Hilde Bruch : «L'énigme de l'anorexie», extrait du livre *L'Énigme de l'anorexie,* Presses Universitaires, Paris. Traduit de l'américain par A. Rivière.

Yanick Villedieu : «Bébés-éprouvettes : des enfants bien ordinaires», *L'Actualité,* Montréal, février 1984.

Yanick Villedieu : «La déprime», *L'Actualité,* Montréal, octobre 1984.

Woody Allen : «L'amour coupé en deux», texte extrait de *Destins tordus* de Woody Allen, Éditions Laffont, Paris. Traduit de l'américain par Michel Lebrun.

Florence Vidal : «La leçon d'imagination», extrait du livre *La leçon d'imagination,* Éditions Laffont, Paris.

Maurice Roy : «Le cinéma est mort. Vive le cinéma», *L'Actualité,* Montréal, janvier 1984.

Benoît Aubin : «La TV pas payante», *L'Actualité,* Montréal, janvier 1984.

Robert Sheckley : «Le robot qui me ressemblait», texte extrait de *Le Robot qui me ressemblait,* Éditions Laffont, Paris. Traduit de l'américain par Maud Perrin.